As Cruzadas

THOMAS ASBRIDGE

O Desafio dos Campeões

São Paulo, 2021

O desafio dos campeões
The Crusades – The War for the Holy Land
Copyright © Thomas Asbridge, 2010
Copyright © 2021 by Novo Século Editora Ltda.

EDITOR: Luiz Vasconcelos
COORDENAÇÃO EDITORIAL: Nair Ferraz • Vitor Donofrio • João Paulo Putini
TRADUÇÃO: Johann Heyss • Valter Lellis Siqueira
PREPARAÇÃO: Samuel Vidilli
REVISÃO: Agnaldo Alves • Equipe NS
DIAGRAMAÇÃO: Vitor Donofrio
CAPA: Ygor Moretti

Texto de acordo com as normas do Novo Acordo Ortográfico
da Língua Portuguesa (1990), em vigor desde 1º de janeiro de 2009

Dados Internacionais de Catalogação na Publicação (CIP)
Angélica Ilacqua CRB-8/7057

Asbridge, Thomas
O desafio dos campeões
Thomas Asbridge ; tradução de Johann Heyss, Valter Lellis Siqueira
Barueri, SP: Novo Século Editora, 2021.
160 p.; il. (As Cruzadas ; vol 3)

Bibliografia
ISBN 978-65-5561-289-9

Título Original: The Crusades : The War for the Holy Land

1. Cruzadas 2. Cristianismo e outras religiões 3. História da Igreja – 600-1500 – Idade Média 4. Oriente Médio – História 5. Europa – História da Igreja I. Título II. Heyss, Johann III. Siqueira, Valter Lellis IV. Série

21-3678   CDD-909.07

Índice para catálogo sistemático:
1. Cruzadas

Alameda Araguaia, 2190 – Bloco A – 11º andar – Conjunto 1111
CEP 06455-000 – Alphaville Industrial, Barueri – SP – Brasil
Tel.: (11) 3699-7107 | Fax: (11) 3699-7323
www.gruponovoseculo.com.br | atendimento@gruponovoseculo.com.br

III. O DESAFIO DOS CAMPEÕES

SUMÁRIO

III. O DESAFIO DOS CAMPEÕES
13 Chamado à cruzada **7**
14 O conquistador desafiado **29**
15 A chegada dos reis **65**
16 Coração de Leão **91**
17 Jerusalém **111**
18 Resolução **131**

NOTAS **149**

13. CHAMADO À CRUZADA

No final do verão de 1187, com o Ultramar ainda cambaleante devido ao cataclismo de Hattin e o rápido desmantelamento da Palestina francesa por Saladino, o arcebispo Joscius de Tiro zarpou para o Ocidente. Ele levava as notícias da calamitosa derrota dos cristãos ao fragilizado papa Urbano III, que logo morreu devido ao choque e à tristeza. Nas semanas e meses que se seguiram, as notícias devastadoras correram a Europa, provocando pânico, angústia e indignação – e desencadeando uma nova convocação às armas para a campanha conhecida pela história como a Terceira Cruzada. Os homens mais poderosos do mundo latino abraçaram a cruz, de Frederico Barbarroxa, o poderoso imperador da Alemanha, a Filipe Augusto, o astuto e jovem rei da França. Mas foi Ricardo Coração de Leão, rei da Inglaterra – um dos maiores guerreiros da era medieval –, que se ergueu como campeão da causa cristã, contestando o domínio da Terra Santa por Saladino. Acima de tudo, a Terceira Cruzada tornou-se uma disputa entre esses titãs, rei e sultão, cruzado e *mujahid*. Depois de quase um século, a guerra pela Terra Santa levou esses heróis à luta num confronto épico: testando os dois homens até um ponto de saturação; um confronto em que lendas foram forjadas, e sonhos, destruídos.[1]

A PREGAÇÃO DA TERCEIRA CRUZADA

As feridas sofridas pela cristandade em Hattin e Jerusalém em 1187 levaram o Ocidente latino à ação, reacendendo o fogo do fervor das cruzadas que estivera dormente há décadas. Depois do fracasso da Segunda Cruzada no final da década de 1140, o entusiasmo da Europa cristã pela guerra santa havia declinado bastante. Na época, alguns começaram a questionar a pureza do papado e dos cruzados. Um cronista alemão descreveu a Segunda Cruzada em termos condenatórios: "Deus deixou que a Igreja Ocidental, em virtude de seus pecados, fosse humilhada. Na verdade, surgiram pseudoprofetas, filhos de Belial, e testemunhas do Anticristo, que seduziram os cristãos com palavras vazias". Mesmo Bernardo de Claraval, arquipropagandista e apaixonado advogado das cruzadas, pôde oferecer pouco consolo, meramente observando que os reveses experimentados pelos francos faziam parte dos desígnios incógnitos de Deus. O pecado dos cristãos também foi lembrado como explicação para a punição divina – e, mais do que nunca, os franceses supostamente dissolutos que viviam no Levante foram tidos como transgressores.[2]

Não é de surpreender que muitas tentativas de expedições cruzadas depois de 1149 tenham fracassado. A força e a unidade muçulmana no Oriente Próximo cresceram sob Nur al-Din e Saladino, enquanto o Ultramar encarava uma sucessão de crises: a morte do príncipe Raimundo, de Antioquia, na batalha de Inab; a derrota em Harim em 1164; a incapacitação de Balduíno, o Rei Leproso. O tempo todo os franceses levantinos faziam apelos de ajuda cada vez mais desesperados e frequentes ao Ocidente, e, embora poucos viessem defender a Terra Santa em campanhas menores, no geral os apelos ficavam sem resposta.

Nesse ínterim, os monarcas ocidentais, agora cruciais para qualquer aventura cruzada, tinham seus próprios reinos a preservar e defender – tarefas, segundo o que se acreditava amplamente, que lhe eram divinamente confiadas. Envolvidos com as preocupações da política, da guerra, do comércio e da economia, a perspectiva de passar meses ou até anos no Oriente numa cruzada não era nada convidativa. A inércia, e não a ação, predominava.

Esse problema foi exacerbado pelas profundas rivalidades entre as principais potências da Europa latina. Em 1152, o poder na Alemanha passou para Frederico Barbarroxa (ou Barba-Ruiva), da dinastia de Hohenstaufen, um veterano da Segunda Cruzada. Frederico assumiu o título de imperador três anos depois, mas passou décadas tentando subjugar facções em luta em seu próprio reino e buscando assegurar o controle do norte da Itália, enquanto também se enredava num rancoroso conflito com o papado e a Sicília normanda. Na França, a dinastia capetíngia retinha a coroa, mas em termos de domínio territorial e controle político a verdadeira autoridade exercita pelo rei Luís VII e seu filho e sucessor Filipe II Augusto (a partir de 1180) ainda era rigorosamente constrita. Os capetíngios foram desafiados, acima de tudo, pela ascensão dos condes de Anjou. Em 1152, apenas alguns anos depois dos desapontamentos da Segunda Cruzada, a esposa de Luís VII, Leonor de Aquitânia, insistiu na anulação de seu casamento – sua união havia produzido duas filhas, mas nenhum filho, e Leonor escarnecia do incoerente apetite sexual de Luís, equiparando-o a um monge. Oito semanas depois, ela se casou com o conde Henrique de Anjou, mais vigoroso, um homem doze anos mais novo que ela, que já havia adicionado o ducado da Normandia a seus domínios. Em 1154, ele ascendeu ao trono da Inglaterra como rei Henrique II, e o casal criou um novo e extenso "império" angevino, unindo a Inglaterra, a Normandia, Anjou e a Aquitânia. Controlando a maior parte do território que hoje é a França, seu poder e sua riqueza ultrapassavam de longe os do rei franco, embora, pelo menos nominalmente, ainda fossem súditos do monarca capetíngio em função de seus territórios continentais. Sob essas circunstâncias, foi inevitável que as casas dos angevinos e dos capetíngios se tornassem inimigas ferrenhas. E durante os meados e o fim do século XII, a exasperante antipatia e o ressentimento entre essas duas dinastias impediram drasticamente a participação na guerra pela Terra Santa. Tolhido por essa luta, Henrique II da Inglaterra revelou-se indisposto ou incapaz de honrar repetidas promessas de partir numa cruzada, usualmente fornecendo apoio financeiro ao Ultramar como forma de compensação.[3]

Somente os eventos verdadeiramente históricos de 1187 romperam esse impasse, propiciando o engajamento real. As velhas disputas não foram esquecidas – na verdade, a inimizade angevinos-capetíngios teve um profundo efeito no curso da Terceira Cruzada. Mas as terríveis notícias do Oriente Próximo provocaram tamanha indignação que os governantes da cristandade latina não se mostraram apenas cautelosos com relação ao chamado às armas; desta vez eles se ativeram a suas promessas e partiram de fato para a guerra.

Um motivo para o choro

Com a morte do papa Urbano III em 20 de outubro de 1187, substituiu-o Gregório VII, e no final do mês uma nova encíclica papal – *Audita*

Tremendi – foi promulgada, proclamando a Terceira Cruzada. Como sempre, tomou-se o cuidado de estabelecer uma justificativa para a guerra santa. O desastre de Hattin foi descrito como "um grande motivo de lamentação (para) todo o povo cristão"; o Ultramar, segundo o que se afirmava, havia sofrido um "terrível e severo julgamento"; e os "infiéis" muçulmanos eram descritos como "bárbaros selvagens sedentos de sangue cristão e de (profanação) dos Lugares Santos". A encíclica concluía afirmando que qualquer homem são "que não chorar diante desse motivo com certeza deve ter perdido sua fé e sua humanidade".

Dois novos temas foram acrescentados a essa exortação familiar, ainda que particularmente apaixonada. Pela primeira vez, o mal era personificado. Anteriores apelos às armas haviam apresentado os muçulmanos como oponentes sádicos, embora sem rosto. Agora, Saladino era nomeado especificamente como o inimigo e associado ao Demônio. Esta exortação mostrava maior familiaridade com o Islã e com a escala gigantesca do golpe desferido pelos "crimes" do sultão. Os francos que viviam no Levante foram identificados como os principais transgressores, não tendo se mostrado penitentes depois da queda de Edessa, mas os cristãos que viviam na Europa também eram culpados. "Todos nós (devemos) expiar nossos pecados... e nos voltarmos para Deus, nosso Pai, com penitências e obras piedosas", declarava a encíclica, "(e só) então voltarmos nossa atenção para a traição e a malícia do inimigo". Alinhados a esse tema de contrição, os cruzados eram incentivados a se alistar não apenas "por dinheiro ou glória mundana, mas de acordo com a vontade de Deus", viajando com roupas simples, sem "cães ou aves", prontos a fazer penitência em vez de "exibir uma pompa vazia".

A *Audita Tremendi* referia-se aos "infortúnios... recentemente caídos sobre Jerusalém e a Terra Santa", mas talvez pelo fato de as notícias da verdadeira conquista da Cidade Santa por Saladino ainda não terem chegado ao Ocidente, uma ênfase especial foi dada à perda física em Hattin da Verdadeira Cruz – a relíquia da cruz de Cristo. A partir deste ponto, a recuperação do venerado totem da fé tornou-se um dos objetivos básicos dos cruzados.

Em comum com as encíclicas cruzadas anteriores, as seções finais da proclamação de 1187 detalhavam as recompensas espirituais e temporais oferecidas aos participantes. Era-lhes garantida total remissão dos pecados confessados, e aos que morressem em campanha era prometida a "vida eterna". Pela duração da expedição, eles gozariam de isenção de processos legais e de juros de dívida, e seus bens e suas famílias ficariam sob a proteção da Igreja.[4]

Propagando a palavra

A escala e o significado sem precedentes dos desastres sofridos pelos francos em 1187 apenas garantiu uma resposta monumental do Ocidente. Mesmo em sua forma mais simplificada, as notícias levadas à Europa por Joscius de Tiro tiveram o poder de horrorizar e inspirar – na verdade, antes de se reunir com o papa, o arcebispo primeiro fez uma parada no reino normando da Sicília e imediatamente convenceu seu governante, Guilherme II, a enviar uma frota de navios para defender o Ultramar.

Não obstante, a *Audita Tremendi* estabeleceu o tom para boa parte da pregação da Terceira Cruzada. De fato, todo o processo de disseminação da mensagem cruzada foi ficando cada vez mais sujeito ao controle eclesiástico e secular centralizado, e os métodos usados para incentivar o recrutamento, cada vez mais refinados e sofisticados. O papa nomeou dois delegados papais – Joscius de Tiro e o cardeal Henrique de Albano, antigo abade de Claraval – para orquestrar o chamado à cruz na França e na Alemanha, respectivamente. Os recrutamentos em grande escala também foram ajustados para coincidir com as principais festas cristãs, com concentrações durante o Natal de 1187 em Estrasburgo, e na Páscoa de 1188 em Mogúncia (Mainz) e Paris, quando multidões já estavam reunidas e preparadas para uma mensagem devocional.

A pregação nas terras angevinas da Inglaterra, Normandia, Anjou e Aquitânia foi cuidadosamente planejada em conferências realizadas em Le Mans em janeiro de 1188 e em Geddington, em Northamptonshire, em 11 de fevereiro. Nesta segunda reunião, Balduíno, arcebispo da Cantuária, outro antigo abade cisterciense, empunhou a cruz e acabou por alistar três mil galeses "habilidosos no uso de flechas e lanças".[5]

Deste ponto em diante, o ato de aderir à cruzada parece ter atingido uma identidade mais distinta, embora não fique claro se isso foi uma resposta ao controle centralizado ou simplesmente um subproduto do gradativo reconhecimento e definição ao longo do tempo. Enquanto os cruzados anteriores tinham sido peregrinos, viajantes ou soldados de Cristo, agora, pela primeira vez, os documentos começaram a descrevê-los como *crucesignatus* (alguém assinalado pela cruz) – a palavra que acabou por levar aos termos "cruzado" e "cruzada".

A Terceira Cruzada também se propagandeou e popularizou na sociedade secular. Ao longo do século XII, os trovadores (cantores da corte que muitas vezes também eram nobres) passaram a desempenhar um papel cada vez mais importante nos círculos aristocráticos, e as noções da vida cortesã e da cavalaria começaram a se desenvolver, particularmente em regiões como o sudoeste da França. Quarenta anos antes, os primeiros traços de comentário cortesão sobre a Segunda Cruzada já haviam se manifestado. Agora, depois de 1187, as canções dos trovadores sobre a guerra santa que se aproximava começaram a jorrar, baseadas, e em cada vez mais lugares, na mensagem inerente à *Audita Tremendi*.

Conon de Béthune, um cavaleiro da Picardia que aderiu à Terceira Cruzada, compôs um desses poemas em francês arcaico entre 1188 e 1189. Nele, ressoam vários temas familiares – o lamento pela captura da Verdadeira Cruz e a observação de que "todo homem deve estar abatido e tristonho". Mas, em outras partes, uma nova ênfase foi dada às noções de honra e obrigação. Conon escreveu: "Agora veremos quem será o bravo de verdade... (e) se permitirmos que nossos mortais inimigos permaneçam (na Terra Santa), nossas vidas se encherão de vergonha para sempre", acrescentando que os que são "saudáveis, jovens e ricos não podem ficar para trás sem conhecer a vergonha". A Terra Santa também foi retratada como o patrimônio (ou a autoridade) de Deus em perigo. Isso implicava que, da mesma forma que um vassalo era obrigado a proteger a terra e a propriedade de seu senhor, os cristãos, como servos de Deus, agora deveriam correr para a defesa de seu território sagrado.[6]

O chamado à cruzada levou dezenas de milhares de cristãos latinos a se alistarem. Segundo um cruzado, "tamanho era o entusiasmo pela nova peregrinação que já (em 1181) não era uma questão de quem havia recebido a cruz, mas de quem ainda não havia feito isso". Isso é um pouco exagerado, pois ficaram no Ocidente muitos mais que os que partiram para a Terra Santa, mas a expedição, contudo, provocou um surpreendente alvoroço na sociedade europeia. Particularmente na França, porções totais da aristocracia local conduziram contingentes armados à guerra. O envolvimento dos reis provou ser crucial, como já havia acontecido na década de 1140, provocando uma reação em cadeia de recrutamento por todo o Ocidente latino, por meio dos laços de vassalagem e obrigação. Em 1189, o cruzado Gauclem Faidit comentou sobre esse fenômeno, declarando em uma canção que: "É necessário que todos pensem em ir para lá, ainda mais os príncipes, pois estão numa alta posição, e não existe ninguém que possa afirmar ter fé e ser obediente a ele se não ajudar (seu senhor) nesta empreitada".[7]

Contudo, mesmo antes de as nefastas notícias das vitórias de Saladino se espalharem, diante da febre de entusiasmo que se formou, um líder se comprometeu imediatamente com a causa. Em novembro de 1187, Ricardo Coração de Leão tomou a cruz em Tours – o primeiro nobre a fazê-lo ao norte dos Alpes.

CORAÇÃO DE LEÃO

Hoje, Ricardo Coração de Leão é uma das figuras mais amplamente lembradas da Idade Média, recordado como o grande rei-guerreiro da Inglaterra. Mas quem era ele? Esta é uma pergunta controversa, pois mesmo em vida ele se tornou uma espécie de lenda. Ricardo certamente tinha consciência do extraordinário poder da reputação e buscou ativamente promover um culto à sua personalidade, incentivando comparações com as grandes figuras do passado mítico, como Rolando, o flagelo dos mouros ibéricos, e o rei Artur. Ricardo chegou até a sair para a cruzada com uma espada chamada Excalibur, embora ele mais tarde a tenha vendido para pagar por navios extras. Em meados do século XIII abundavam histórias de seus feitos épicos. Um autor tentou explicar a famosa atração por Ricardo explicando que ele certa vez fora forçado a combater um leão com as mãos limpas. Tendo agarrado a fera pela garganta e arrancado seu coração ainda pulsando, Ricardo supostamente comeu com gosto o órgão que sangrava.

Uma testemunha ocular contemporânea e seu ardente admirador ofereceu um retrato vibrante de sua aparência física:

> Ele era alto, de constituição elegante; a cor de seus cabelos estava entre o vermelho e o dourado; seus membros eram

flexíveis e retos. Seus braços eram bastante longos, o que era particularmente conveniente para desembainhar a espada e manejá-la com eficiência. Suas longas pernas harmonizavam-se com a disposição de todo seu corpo.

A mesma fonte afirmou que Ricardo havia sido dotado por Deus "de virtudes que pareciam mais pertinentes a uma época anterior. Nesta presente época, quando o mundo está envelhecendo, essas virtudes não se manifestam em ninguém, como se todos fossem cascas vazias". Em comparação:

> Ricardo possui a coragem de Heitor, o heroísmo de Aquiles; ele não era inferior a Alexandre... Além disso, o que é muito incomum para alguém tão renomado como cavaleiro, a retórica de Nestor e a sabedoria de Ulisses capacitam-no a exceder os outros em toda empreitada, tanto na fala quanto na ação.[8]

Talvez não seja de surpreender que os estudiosos nem sempre tenham aceitado essa imagem surpreendente do Coração de Leão como herói quase sobre-humano. Já no século XVIII, historiadores ingleses criticavam Ricardo como monarca e como homem – acusando-o de explorar a Inglaterra para proveito próprio e por possuir um caráter bruto e impulsivo. Em décadas recentes, o excepcional intelectual da Universidade de Londres John Gillingham reformulou a percepção e a compreensão da carreira do Coração de Leão. Gillingham confirmou que Ricardo mal passou um ano em dez na Inglaterra durante seu reinado, mas contextualizou esse fato, destacando que ele não era apenas rei da Inglaterra, mas o governante do Império Angevino num momento de crise na cristandade. Da mesma forma, a natureza voluntariosa do Coração de Leão foi reconhecida, mas sua imagem como bruto, selvagem e tempestuoso foi derrubada. Ricardo agora é geralmente visto como tendo sido um governando bem-educado, adepto da política e da negociação, e, acima de tudo, um homem de ação, amante da guerra e imbuído de um instinto visionário do comando militar. Embora muito dessa reavaliação seja verdade, ao buscar reatualizar a reputação do Coração de Leão Gillingham pode ter exagerado alguns dos feitos do rei na Terceira Cruzada, poupando-o de crítica quando esta se justificava.[9]

Ricardo, conde de Poitou, duque da Aquitânia

O Coração de Leão pode ter se tornado rei da Inglaterra, mas ele, com toda certeza, não era inglês nem de nascimento nem de formação. Sua língua nativa era o francês arcaico, seu patrimônio, o de Anjou e Aquitânia. Ele nasceu em Oxford em 8 de setembro de 1157, filho do rei Henrique II da Inglaterra e de Leonor de Aquitânia. Com esses pais, o jovem príncipe estava quase predestinado a deixar sua marca na história, mas Ricardo não se destinava a herdar o vasto reino angevino; essa glória recaiu sobre seu irmão mais velho, conhecido pela história como Henrique, o Jovem. Para começar, Ricardo, no mínimo foi treinado para ser lugar-tenente, e não comandante. Na Europa do século XII, contudo, elevadas taxas de mortalidade infantil e adolescente significavam que uma mudança de perspectiva sempre era possível.

Quando criança, Ricardo estava associado à Aquitânia. Na expectativa de que ele não herdaria o trono da Inglaterra e talvez por influência de sua mãe, o jovem príncipe foi designado governante de uma vasta região do sudoeste da França. Em 1169, Ricardo rendeu homenagem ao rei franco Luís VII em nome de seus domínios e, então, em 1172, com a idade de quinze anos, foi formalmente instalado como duque da Aquitânia (com o título associado de conte de Poitou). Ricardo foi ainda mais envolvido pela complexa rede de relações entre as dinastias dos angevinos e dos capetíngios ao ficar noivo, em 1169 de Alice, a filha do rei Luís – embora a princesa francesa passasse seu tempo, a partir disso, na corte do rei Henrique II, e não com Ricardo, tendo se tornado a suposta amante do então rei.

A Aquitânia era das regiões mais ricas e cultas da França – um florescente centro de música, poesia e arte; esses fatores parecem ter deixado suas marcas em Ricardo. Ele era um generoso protetor dos trovadores, além de cantor habilidoso e autor de canções e poemas. Também possuía um excelente conhecimento de latim e uma índole afável, embora acerba. Seu ducado também era famoso por suas associações com as lendárias guerras santas contra o Islã travadas na Espanha durante o tempo de Carlos Magno. Igrejas dessa região afirmavam abrigar o corpo de Rolando, o poderoso herói da campanha, e a trompa que ele buscara tocar para reunir ajuda contra os muçulmanos.

Apesar de toda essa aparência de civilidade, a Aquitânia era um viveiro conflituoso de anarquia e discórdia civil – na verdade, era apenas uma débil reunião de territórios ferozmente independentes, habitados por famílias recalcitrantes, como os Lusignan. Em vista disso, Ricardo parecia destinado a governar uma unidade política praticamente ingovernável, mas ele comprovou ser notoriamente competente. Durante as décadas de 1170 e 1180, ele não apenas impôs a ordem, sufocando numerosas rebeliões, mas também conseguiu expandir o território do ducado à custa do condado de Toulouse. Esses desafios proveram o Coração de Leão de uma valiosa experiência militar, particularmente no campo da arte do assédio, e ele revelou uma notável aptidão para a guerra.

Ricardo também teve que enfrentar a realidade recalcitrante da política contemporânea. No início de sua carreira, foi envolvido numa luta pelo poder complexa e constantemente instável dentro da dinastia angevina – com Henrique II habilmente defendendo sua posição contra o crescente poderio de seus filhos e de sua ambiciosa esposa, embora o Coração de Leão e seus irmãos brigassem pela herança dos angevinos com a mesma frequência com que se uniam contra o pai. Já em 1173, Ricardo viu-se envolvido numa rebelião em grande escala contra Henrique II junto com seus irmãos. A condição do Coração de Leão foi transformada em 1183, quando, no meio de outra rebelião, seu irmão Henrique, o Jovem, morreu, deixando-o como seu herdeiro designado. Longe de resolver a disputa interna, isso apenas tornou Ricardo um alvo mais claro para os ataques e a intriga, enquanto Henrique buscava retomar a posse da Aquitânia e a redistribuição do território angevino em favor de João, seu filho mais novo. Ricardo, com certeza, não prevaleceu em todas essas complexas maquinações, mas, de modo geral, manteve-se firme em suas próprias artimanhas contra Henrique II.

Como angevino, Ricardo também participou da continuada rivalidade com a monarquia capetíngia e frequentemente se viu atraído para as disputas com o rei Luís VII e, depois de 1180, seu herdeiro Filipe Augusto. A demorada questão do noivado de Ricardo com Alice da França também estava em jogo, pois Henrique continuava a usar a proposta união como ferramenta diplomática e nenhum casamento ocorrera até então. Esse modelo de confronto parece ter prosseguido até junho de 1187, quando o rei Filipe invadiu o território angevino de Berry, levando Henrique II e Ricardo a se unirem num contra-ataque. Uma grande batalha parecia iminente, mas, no último instante, uma aproximação foi conseguida, resultando numa trégua de dois anos. Mas, assim que esse acordo foi finalizado, Ricardo repentinamente mudou de lado, voltando a Paris com Filipe numa demonstração deliberadamente pública de amizade. Essa foi uma ágil manobra diplomática que nem o agora envelhecido Henrique havia previsto, e sua mensagem era clara. Se o monarca angevino tentasse privar Ricardo da Aquitânia em seu testamento, o Coração de Leão mostrava-se mais que disposto a romper com sua família e se colocar ao lado do inimigo capetíngio. Vencido, Henrique imediatamente procurou restabelecer relações com Ricardo, confirmando todos os seus direitos territoriais. O velho rei ganhou o filho de volta para a dinastia angevina e, por enquanto, havia se alcançado um equilíbrio precário, mas as nuvens de um confronto mais decisivo envolvendo Henrique, Ricardo e Filipe ainda estavam se formando.

Ricardo e a cruzada

Pouco depois de uma semana, Saladino derrotou os francos de Jerusalém em Hattin, no dia 4 de julho de 1187. Em novembro do mesmo ano, Ricardo tomou a cruz em Tours, evidentemente sem consultar o pai. Devido às circunstâncias, a decisão do Coração de Leão era extraordinária. Em 1187, Ricardo estava profundamente imerso nas políticas envolvendo o poder na Europa Ocidental, tendo demonstrado uma determinação absoluta de conservar o ducado de Aquitânia e assumir o controle do Império Angevino após a morte de Henrique II. E de repente aderiu à cruzada, aparentemente sem considerar as consequências – uma atitude que ameaça suas próprias perspectivas e as de sua dinastia. O rei Henrique ficou furioso pelo que considerava um ato insano mal pensado e não aprovado. Filipe Augusto também ficou perplexo diante da perspectiva de um aliado potencialmente decisivo aderir à guerra santa. O alistamento do Coração de Leão na Terceira Cruzada prometia comprometer em muito a rede delicadamente equilibrada do poder e da influência na Inglaterra e na França. Diante disso, Ricardo pouco tinha a ganhar, e tudo a perder.

Então, como esse fato aparentemente anômalo pode ser explicado? Sabedores, com o benefício da visão em retrospectiva, de que o Ocidente logo seria varrido pelo entusiasmo da cruzada – na verdade, de que Henrique II e Filipe Augusto também tomariam a cruz em poucos meses –, os estudiosos passaram batidos pela decisão de Ricardo, apresentando-a como normativa e inevitável. Contudo, considerada em seus próprios termos e contexto, a escolha dele foi bem o oposto disso.

Talvez uma multiplicidade de fatores estivesse em ação. A impulsividade provavelmente desempenhou seu papel. Se o Coração de Leão tinha uma fraqueza, tratava-se de sua autoconfiança exagerada e sua arrogância imprudente. Até um dos seus seguidores admitia que "ele podia ser acusado de ações irrefletidas", mas explicava que "tinha um espírito irredutível, não suportava um insulto ou uma injúria, e seu inato espírito nobre o compelia a buscar seus devidos direitos". Além disso, ele deve muito bem ter ficado comovido, como tantos outros cruzados antes dele, tomado por um sincero e autêntico senso de devoção religiosa. Esses sentimentos com certeza teriam sido intensificados por suas conexões familiares e senhoriais com a Palestina franca, já que era bisneto de Fulque de Anjou, rei de Jerusalém (1131-42), primo da rainha Sibila e antigo senhor feudal do pontevino Guy de Lusignan. O Coração de Leão também estava em luta para sair das sombras de seus progenitores. Boa parte de sua vida havia sido devotada a imitar e eclipsar as realizações de seu pai (e, até certo ponto, as de sua mãe). Antes de 1187, a conquista desse objetivo tinha estado na defesa da Aquitânia e na sucessão do reino angevino. Mas Hattin e o lançamento da Terceira Cruzada abriram outro caminho para a grandeza – uma nova chance de deixar uma marca permanente na história como líder de homens e comandante militar, numa guerra santa muito além dos confins da Europa. A cruzada também deve ter atraído Ricardo como ardoroso guerreiro, nascido num mundo em que as ideias a respeito da honra e da conduta cavaleiresca começavam a coalescer. Pois a campanha que se apresentava serviria como prova máxima de bravura e valor.[10]

O verdadeiro equilíbrio entre esses diferentes estímulos é impossível de ser determinado. Provavelmente, o próprio Ricardo teria sido incapaz de definir um motivo ou ambição singular que moldasse suas ações no final de 1187. Com certeza, nos anos seguintes, ele exibiu momentos de raiva e impetuosidade. Também ficou claro que ele lutava contra uma profunda crise de identidade e intenção – tentando reconciliar seus papéis como cruzado, rei, general e cavaleiro.

A ACEITAÇÃO DA CRUZ

O choque do alistamento de Ricardo na Terceira Cruzada propiciou uma crise política, com Filipe da França ameaçando invadir o território angevino a menos que Henrique II fizesse concessões territoriais e insistisse que o Coração de Leão desposasse a irmã de Filipe, Alice da França. Em 21 de janeiro de 1188, os monarcas capetíngio e angevino, Filipe e Henrique, reuniram-se perto do castelo fronteiriço de Gisors, em companhia de seus principais barões, para discutir um acordo. Mas o arcebispo Joscius de Tiro também assistiu à assembleia. Ele tratou de pregar um sermão arrebatado sobre a situação periclitante da Terra Santa e os méritos da cruzada, falando "de uma maneira (tão) maravilhosa (que ele) convenceu seus corações a aceitarem a cruz". Nesse momento, uma imagem em forma de cruz foi supostamente vista no céu – um "milagre" que levou muitos outros grandes senhores do norte da França a se juntarem à expedição, incluindo os condes de Flandres, Blois, Champagne e Dreux.[11]

Em meio a uma onda de entusiasmo pela cruzada, Henrique II e Filipe Augusto fizeram declarações públicas de sua determinação de lutar na guerra santa levantina. Não se sabe qual dos reis demonstrou primeiro sua disposição, assim forçando o outro a imitá-lo. O que se sabe é que, no final da reunião, os dois haviam se comprometido. A natureza efetivamente simultânea deste engajamento era reveladora, pois refletia uma determinação mais ampla de apenas agir lado a lado. O angevino e o capetíngio haviam jurado empreender a cruzada no Oriente, mas logo ficou óbvio que nenhum dos dois deixaria a Europa sem o outro. Agir assim seria equivalente ao suicídio político – o abandono de um dos reinos às privações impostas por um arqui-inimigo desprezado. A absoluta necessidade de ação coordenada e de uma partida sincronizada teve um efeito profundo na Terceira Cruzada, contribuindo para uma série de intermináveis adiamentos, pois o monarca inglês e o franco viam um ao outro com suspeita e desconfiança.

Frederico Barbarroxa e a cruzada alemã

Em 1187, Frederico Barbarroxa, o imperador Hohenstaufen[a] da Alemanha, era o estadista mais idoso da Europa. Por meio de um misto de incansáveis campanhas militares e ardilosas manobras políticas, ele impusera um grau de autoridade centralizada sem precedente sobre os barões de mentalidade notoriamente independente da Alemanha e obteve vantajosos acordos com o norte da Itália e o papado. Agora com sessenta e poucos anos, Frederico podia reclamar domínio sobre uma faixa de território que ia da costa báltica ao Adriático e o Mediterrâneo. Em termos de riqueza, recursos militares e prestígio internacional, seu poder ultrapassava facilmente o dos angevinos e capetíngios. Naturalmente, a maioria dos contemporâneos esperava que ele desempenhasse um papel de liderança na Terceira Cruzada.

A primeira convocação às armas na Alemanha foi feita em 1187 na corte de inverno de Barbarroxa em Estrasburgo. Isso garantiu uma torrente de recrutas ansiosos, mas o imperador agia sem pressa, avaliando a escalada do apoio público à expedição, antes de aceitar a cruz numa segunda grande assembleia em Mogúncia, em 27 de março de 1188, e anunciando sua firme intenção de partir em apenas um ano. Frederico então fez preparativos relativamente rápidos, porém assíduos, para tal: exilou seu inimigo político Henrique, o Leão; deixou seu filho mais velho, Henrique VI, na Alemanha, como seu herdeiro designado, mas levando seu segundo filho, Frederico da Suábia, com ele para a cruzada. Barbarroxa mobilizou seus próprios recursos financeiros, estabelecendo um significativo tesouro imperial de guerra, mas, por outro lado, compartilhou a responsabilidade financeira do financiamento da expedição com os cruzados individuais, exigindo que cada participante levasse seu próprio dinheiro para o Oriente. Alguns cruzados alemães zarparam para o Levante – incluindo os de Colônia, da Frísia e, eventualmente, os comandados pelo duque Leopoldo V da Áustria – mas Frederico dispôs-se a comandar a maioria ao longo da rota terrestre usada por expedições anteriores. Na esperança de facilitar a

---

a   A casa de Hohenstaufen, também conhecida como dinastia dos Staufer, foi uma importante família nobre suábia, que nos séculos XII e XIII dominou o Sacro Império Romano-Germânico e de onde provieram os principais imperadores, reis e príncipes alemães. (N. do T)

viagem rumo leste, iniciou contatos diplomáticos com a Hungria, Bizâncio e até com Kilij Arslan II, o governante muçulmano seljúcida da Anatólia. No dia 11 de maio de 1189, apenas um pouco após o que havia planejado, ele partiu de Ratisbona à frente de um enorme exército, incluindo onze bispos, cerca de 28 condes, uns quatrocentos cavaleiros e dezenas de soldados de infantaria.

Os cruzados alemães fizeram um bom avanço com sua marcha até alcançarem Bizâncio no final de junho. Ali, o imperador Isaac II Ângelo havia rejeitado as tentativas de Frederico de negociar a passagem livre pelo território grego. Isaac já havia feito um pacto com Saladino, concordando em deter o avanço dos cruzados, e também se mostrava nervoso com relação às negociações de Barbarroxa com Kilij Arslan, suspeitando de que os dois pudessem tentar lançar uma ofensiva combinada contra Constantinopla. Movendo-se para sudeste, Frederico ocupou a cidade de Filipópolis e, em seguida, marchou para Adrianópolis em novembro de 1189, em meio à guerra declarada com os gregos. Barbarroxa poupou seu exército dos rigores do inverno, mas deixou em aberto a ameaça de um ataque direto à capital bizantina. Em fevereiro de 1190, contudo, um compromisso foi obtido junto a Isaac. Mantendo-se distantes de Constantinopla, os alemães dirigiram-se para Galípoli e dali cruzaram o Helesponto para a Ásia Menor no final de março, com a ajuda de navios de pisanos e gregos. A experiência de Frederico como calejado guerreiro demonstrou seu valor. Decisivo e formidável como líder e férreo partidário da disciplina da tropa, ele conseguiu guiar a cruzada alemã até a borda do mundo muçulmano.[12]

ATRASOS NA INGLATERRA E NA FRANÇA

Embora tivessem se alistado meses antes de Frederico Barbarroxa, os monarcas da Inglaterra e da França levaram muito mais tempo para partir para a cruzada. De fato, mais de dois anos e meio se passaram, e os principais exércitos angevinos e capetíngios sequer haviam partido de seus países. Os preparativos para a expedição foram iniciados no início de 1188, mas depois de um breve descanso as duas dinastias retomaram os trabalhos. Para piorar as coisas, Ricardo ocupou-se com uma rebelião na Aquitânia e uma guerra com o condado de Toulouse.

Daquela primavera em diante, o Coração de Leão enfrentou uma série de ataques inquisitivos de Filipe Augusto, enquanto Henrique esperava nos bastidores, pouco fazendo para intervir, feliz por deixar seus dois rivais mais jovens brigarem entre si. Mas, no final do outono de 1188, Ricardo não aguentou mais o jogo duplo do pai e sua deliberada prevaricação quanto ao processo de sucessão. Convencido de que o velho rei estava prestes a declarar João seu herdeiro – o príncipe, numa postura um tanto crítica, não aceitara a cruz –, o Coração de Leão trocou de lado, mais uma vez unindo forças com Filipe e fazendo uma dramática exibição pública de sua lealdade ao monarca capetíngio em novembro. Desta vez, não haveria reconciliação com Henrique II.

Ao longo daquele inverno, a saúde ruim imobilizou o velho rei exatamente no momento em que ele precisava provar que ainda conseguia dominar o campo. Com o equilíbrio do poder se deslocando inexoravelmente, grupos de outrora apoiadores leais entre a aristocracia angevina começaram a prestar lealdade a Ricardo. Quando o Coração de Leão e Filipe lançaram uma empolada ofensiva contra a Normandia em junho de 1189, varrendo vários castelos e também Le Mans e Tours, Henrique ficou apenas com a opção de aceitar a paz. Numa conferência de 4 de julho de 1189, ele aceitou todos os termos, confirmando Ricardo como seu sucessor, concordando em pagar a Filipe um tributo de 20 mil marcos e prometendo que, juntos, eles três partiriam numa cruzada na Quaresma seguinte. Mas agora Henrique estava fisicamente acabado – mal conseguindo montar seu cavalo –, mas se dizia que ele teria poupado suas energias para uma ferroada final e vituperativa. Inclinando-se para selar o acordo conferindo o beijo ritual da paz a seu filho, Henrique aparentemente sussurrou: "Que Deus garanta que eu não morra sem ter me vingado de você". Então, ele foi levado para Chinon numa liteira, onde faleceu dois dias depois.[13]

Ricardo I, rei da Inglaterra

Os eventos do início de julho de 1189 transformaram Ricardo Coração de Leão, de príncipe intrigante e cruzado intencional, num monarca e governante real da poderosa dinastia angevina. Em Rouen, no dia 20 de julho de 1189, ele foi declarado duque da Normandia e, então, no dia 3 de setembro de 1189, coroado rei da Inglaterra na Abadia de Westminster, em Londres. Ricardo realizou sua ambição por meio da intriga e da traição, mas, uma vez no poder, assumiu uma dignidade mais real, comportando-se com sóbria maturidade. Visitando a igreja da abadia de Fontebraud, onde o corpo de seu pai estava sepultado, afirma-se que Ricardo não deu a menor demonstração de emoção. Naquele verão, ele fez questão de recompensar não apenas seus apoiadores de confiança, homens como André de Chauvigny, mas também os que haviam permanecido o tempo todo leais a Henrique II, como o afamado cavaleiro Guilherme Marshal. Os que haviam se afastado do velho rei em seus meses finais receberam favores menores.

A elevação de Ricardo provocou uma profunda mudança no teor de suas relações com Filipe Augusto. Como aliados, a dupla havia derrotado Henrique II. Agora, com Ricardo como chefe da dinastia angevina, um se lançou contra o outro como adversário. O potencial de rancor foi incrementado pelas peculiaridades de suas respectivas posturas. Ricardo estava acanhado em seu trigésimo segundo aniversário, quando se tornou rei, seis anos mais velho que Filipe. Mas o Coração de Leão havia recém-ascendido ao trono, enquanto o jovem capetíngio tinha experiência, tendo suportado o fardo da monarquia por quase uma década. Como soberanos, ambos eram iguais, mas na realidade Ricardo possuía o reino mais poderoso, embora oficialmente fosse vassalo de Filipe devido às terras angevinas na França, tais como a Normandia, Anjou e a Aquitânia. Ricardo era um homem de guerra e ação que, não obstante, também se mostrava politicamente astuto. Filipe era mais limitado em sua dedicação à coroa capetíngia, sutil e cauteloso.

A partir do verão de 1189, os dois governantes encararam uma questão assoberbante: quando deveriam partir para a cruzada? O problema era que nenhum dos dois reis queria partir sem a firme garantia de que haveria uma trégua com o outro e de uma partida cuidadosamente coordenada e simultânea. No final, demorou quase mais de um ano para que eles iniciassem a jornada. Durante esse tempo, um considerável número de cruzados franceses, incluindo Jaime de Avesnes e Henrique da Champagne, partiram na frente.

Os anos perdidos com a postergação graças à rivalidade e a disputa certamente tiveram um impacto marcante no curso da Terceira Cruzada, e seria fácil censurar o governante angevino e o capetíngio por não deixarem de lado suas diferenças no interesse maior da cristandade e da cruzada. Na verdade, contudo, Ricardo e Filipe fizeram significativos sacrifícios e assumiram riscos verdadeiros para lutar na guerra santa. Como rei recém-coroado, o Coração de Leão deveria ter tido a sensatez de permanecer no Ocidente para consolidar sua autoridade. Em vez disso, tentou um perigoso ato de equilíbrio: partir por um longo período no Oriente, deixando apoiadores de confiança, incluindo sua mãe, Leonor da Aquitânia, e Guilherme de Longchamp, para a guarda do reino angevino. O rei inglês também confiou num fluxo quase constante de correspondência para se manter informado dos acontecimentos na Europa. Filipe podia ter cancelado sua cruzada em meados de março de 1190, quando sua esposa faleceu durante o parto, juntamente com um casal de gêmeos. Isso deixou num estado precário os arranjos para a garantia da sucessão capetíngia, com Luís, seu filho de apenas três anos, como o único herdeiro existente, mas, mesmo assim, Filipe deixou a França para trás.

PREPARAÇÕES, FINANÇAS E LOGÍSTICA

Os angevinos e os capetíngios podem ter demorado em iniciar a cruzada, mas, pelo menos, fizeram preparativos detalhados e amplos para a campanha. Isso significava que Ricardo deixaria a Europa com o exército cruzado mais organizado e com os maiores recursos do século XII. Logo após aceitar a cruz em janeiro de 1188, Henrique II e Filipe Augusto impuseram um imposto especial para as cruzadas na Inglaterra e na França, com o objetivo de reunir a fortuna necessária para financiar suas expedições. Conhecido como o Dízimo de Saladino, esta taxa de 10% sobre todos os bens móveis foi imposto sob a ameaça de excomunhão. Membros dos templários e dos hospitalários também foram convocados para ajudar a recolher o imposto.

Entre os que ficaram no Ocidente, este imposto sem precedente ficou extremamente impopular, com loquazes queixas da sociedade secular e também da hierarquia eclesiástica. Mas no império angevino, pelo menos, o imposto funcionou. Antes de morrer, Henrique II conseguiu juntar cerca de 100 mil marcos. Ricardo então intensificou e ampliou seus esforços para o levantamento de fundos. Segundo uma testemunha ocular, na Inglaterra, "ele pôs à venda tudo o que possuía, escritórios, títulos feudais, baronatos, cargos de xerife, castelos, cidades, terras, tudo". O Coração de Leão parece ter dito, jocosamente, que, se pudesse, teria vendido Londres.[14]

A montanha de dinheiro obtida teve um impacto direto sobre o destino da Terceira Cruzada. Em parte, isso foi devido ao fato de que se esperava que Ricardo e Filipe pagassem o soldo dos soldados durante a duração da expedição, de modo que esse dinheiro disponível seria crítico para a manutenção do moral e do entusiasmo militar. O Coração de Leão também fez um uso intenso, embora judicioso, de seus recursos fiscais antes de deixar a Europa, para garantir as bases logísticas da campanha. Graças à atitude incomumente minuciosa com o registro dos fatos na Inglaterra, alguns detalhes dessas preparações podem ser recuperados. No ano financeiro de 1189-90 (avaliado a partir da Festa de São Miguel, em 29 de setembro), Ricardo gastou por volta de 14 mil libras – o equivalente a mais da metade da renda anual da coroa recolhida em toda Inglaterra. Ele também encomendou 60 mil ferraduras da Floresta de Dean e em Hampshire, 14 mil porcos curados, um abundante suprimento de queijos do Essex e feijões de Kent e de Cambridgeshire, bem como milhares de flechas e bestas.

Filipe Augusto obteve menor sucesso na implementação do Imposto de Saladino. Faltou-lhe a absoluta autoridade real gozada pelos reis ingleses desde o tempo da Conquista Normanda, sem tampouco poder dispor da máquina governamental e administrativa à disposição de Henrique e de Ricardo. Assim, embora o direito de Filipe de criar e fazer impostos serem aceitos em Paris em março de 1188, dentro de um ano ele teve que retirá-lo e, na verdade, se desculpar por tê-lo decretado. O monarca capetíngio começou a cruzada com um fundo consideravelmente menor, embora pareça que o Coração de Leão tenha pagado os 20 mil marcos que seu pai prometera a Filipe no acordo de julho de 1189. Cuidadosos planejamentos econômicos e preparativos fizeram-se igualmente imperativos, pois os angevinos e os capetíngios decidiram viajar de navio para o Levante. Essa forma de transporte era potencialmente mais rápida e eficiente. Dados os gastos envolvidos, ela também limitava a possibilidade de não combatentes pobres e mal equipados seguirem na cruzada. Esses fatores convinham aos planos de Ricardo e Filipe de levarem exércitos mais competentes e profissionais para o Oriente, bem como de minimizar o espaço de tempo passado longe de seus respectivos reinos. Contudo, o aluguel de navios era caro, envolvendo gasto total antecipado antes de a campanha ter devidamente começado. E o transporte naval também envolvia riscos consideráveis – tais como dificuldades de navegação e coordenação, além da sempre presente ameaça de naufrágio.

Era preciso estar atento para a manutenção da disciplina militar durante uma viagem marítima confinada, desconfortável e perigosa. Com isso em mente, Ricardo emitiu uma série detalhada de regulamentos em 1190, impondo pesadas penas em caso de desordem: o soldado que cometesse assassinato seria atado ao corpo de sua vítima e lançado ao mar (e se a ofensa ocorresse em terra, ele seria amarrado ao corpo e enterrado vivo); atacar alguém com uma faca custaria a mão do atacante, enquanto bater em alguém com o punho faria com que o agressor fosse mergulhado no mar três vezes; os ladrões teriam a cabeça raspada e lhes seriam jogados piche quente e penas em suas cabeças "para que (eles) fossem reconhecidos".[15]

No decorrer da Terceira Cruzada, Ricardo I e Filipe Augusto conseguiram, de maneira geral, negociar todos os problemas potenciais envolvendo o transporte naval. Ao proceder assim, eles estabeleceram um importante precedente e, a partir desse ponto, tornou-se comum os exércitos cruzados dependerem da viagem por mar para atingirem seus objetivos.

PARA A TERRA SANTA

Ricardo I e Filipe Augusto reuniram-se para discutir os preparativos finais para a cruzada em 30 de dezembro de 1189 e mais uma vez em 16 de março de 1190. Por fim, no dia 24 de junho, o Coração de Leão tomou seu alforje e cajado de peregrino numa cerimônia pública em Tours, enquanto o rei franco realizava idêntico cerimonial no mesmo dia em St. Denis (seguindo os passos de seu pai Luís VII). No dia 2 de julho, os dois monarcas se encontraram em Vézelay e concordaram em compartilhar todas as aquisições feitas durante a campanha que se aproximava. Então, em 4 de julho, exatamente três anos depois da derrota latina em Hattin, os principais exércitos cruzados angevinos e capetíngios partiram juntos. Para bem distinguir as duas hostes, decidiu-se que os homens de Filipe usariam cruzes vermelhas, enquanto os de Ricardo portariam cruzes brancas. Essas duas forças separaram-se em Lyon, acertando de se reagruparem em Messina, na Sicília, antes de navegar para o Levante.

Ricardo conseguira reunir e equipar um grande exército – usando os recursos do reino angevino em expansão e as riquezas acumuladas graças ao Imposto de Saladino. Ele provavelmente partiu de Vézelay com um contingente real de cerca de seis mil soldados, embora, ao deixar a Europa, possa ter acumulado uma força total de 17 mil homens. O Coração de Leão foi para o sul, em direção a Marselha, de onde desceu a costa italiana para chegar a Messina no dia 23 de setembro, enquanto parte de seu exército rumava diretamente para a Terra Santa, sob o comando do arcebispo Balduíno da Cantuária. Ricardo também conseguiu preparar sua frota de cerca de uma centena de navios da Inglaterra, Normandia, Britânia e Aquitânia, que contornaram a Península Ibérica para encontrar o rei na Sicília. O contingente pessoal de Filipe Augusto parece ter sido bem menor. De Lyon, ele marchou para Gênova e lá negociou os termos do transporte para a Sicília e o Oriente Próximo, pagando um aluguel de 5.850 marcos por navios carregando 650 cavaleiros e 1.300 soldados. O reino capetíngio chegou a Messina em meados de setembro.

Com o inverno se aproximando rapidamente e os mares se tornando mais traiçoeiros, decidiu-se que a viagem de prosseguimento até o Levante teria que aguardar a chegada da primavera. De qualquer modo, Ricardo tinha problemas políticos a resolver. Guilherme II, rei da Sicília e cunhado do Coração de Leão pelo casamento com sua irmã Joana, falecera em novembro de 1189, deixando a Sicília em meio a uma luta pela sucessão que, ao chegar, Ricardo rapidamente resolveu. Uma vez restaurada a paz, os cruzados passaram o inverno revendo sua frota e armazenando mais armas e equipamento – Ricardo, por exemplo, garantiu um suprimento de imensas pedras para catapultas. Nesse período, o Coração de Leão também conheceu Joaquim de Fiore, um abade cisterciense que estava adquirindo uma notável reputação devido a suas profecias. Joaquim prontamente anunciou uma visão prevendo a captura de Jerusalém por Ricardo e o iminente ocorrer do Último Julgamento, aparentemente afirmando que "o Senhor lhe dará a vitória contra seus inimigos e exaltará seu nome acima de todos os príncipes da Terra" – palavras que serviram meramente para reforçar a autoconfiança do Coração de Leão.[16]

O problema pendente do noivado de Ricardo com a irmã de Filipe II, Alice da França, também foi resolvido. O Coração de Leão tinha evitado a questão depois que assumiu a coroa inglesa, apesar dos repetidos pedidos do rei franco para que o casamento ocorresse. Agora, com a jornada para a Terra Santa se iniciando e Filipe comprometido com a campanha, Ricardo revelou suas intenções. Ele não tinha nenhuma vontade ou intenção de desposar Alice. Em vez disso, uma nova aliança matrimonial havia sido arranjada com Navarra – um reino cristão ibérico cujo apoio protegeria o sul do Império Angevino contra o conde de Toulouse durante a ausência de Ricardo. Em fevereiro de 1191, a herdeira navarense, a princesa Berengária, chegou ao sul da Itália, acompanhada pela infatigável mãe do Coração de Leão, Leonor de Aquitânia, que agora já estava com seus setenta e poucos anos.

Filipe Augusto se viu diante de um *fait accompli*. Quando Ricardo ameaçou apresentar testemunhas que comprovariam que Alice havia sido amante de Henrique II e tinha dado um filho ilegítimo ao velho rei, o monarca capetíngio abriu mão de sua insistência. Em troca de dez mil marcos, ele liberou o Coração de Leão de seu noivado. O conflito aberto havia sido evitado, mas Filipe foi humilhado, e a sórdida questão reacendeu sua fervilhante hostilidade contra o rei angevino.

Por fim, com a chegada da primavera, os caminhos marítimos se reabriram, e os reis cruzados deram início à última etapa de sua viagem até a Terra Santa. Filipe lançou-se ao mar em 20 de março de 1198, e em 10 de abril a frota de Ricardo o seguiu, com Joana e Berengária entre seus passageiros. Quase quatro anos haviam se passado desde a Batalha de Hattin. Nesse tempo, muita coisa havia mudado no Levante.

14. O CONQUISTADOR DESAFIADO

A captura de Jerusalém em 2 de outubro de 1187 foi a glória que coroou a carreira de Saladino – o cumprimento de uma apaixonada ambição pessoal e a realização de uma campanha de *jihad* publicamente afirmada e obstinadamente perseguida. O reino latino estava à beira da extinção, seu governante, preso, seus exércitos, dizimados. É fácil imaginar que, na esteira dessa vitória titânica, o mundo muçulmano se mobilizaria como nunca pela causa do sultão, unido em admiração por suas realizações, agora quase abjeto em sua aceitação de seu direito de comandar o Islã. Será que Saladino havia obtido uma breve pausa para rever tudo o que tinha conseguido, para celebrar enquanto o primeiro vento gelado do outono varria a Cidade Santa? Na verdade, a conquista de Jerusalém lhe trouxe pouco ou nenhum descanso, mas, em vez disso, engendrou novos fardos e novos desafios.

APÓS A VITÓRIA

A retomada de Jerusalém foi um triunfo, mas não marcou o fim da guerra contra a cristandade. Agora Saladino tinha de contrabalançar as responsabilidades de governar seu império expandido e completar a destruição dos assentamentos franceses no Oriente, enquanto se preparava para defender a Terra Santa contra o enfurecido enxame de cruzados ocidentais que, ele acertadamente adivinhava, logo buscaria vingar Hattin e retomar Jerusalém. Mesmo assim, Saladino deveria estar em ascensão em 1187. Na verdade, a partir desse ponto sua força começou gradativamente a retroceder. Entre os amargos desafios que estavam por vir, ele amiúde parecia estranhamente isolado – um outrora grande general acabrunhado, abandonado por seus exércitos, lutando para sobreviver à tormenta da Terceira Cruzada.

Impérios sempre se mostraram mais fáceis de construir que de governar, mas Saladino encarou uma profusão de dificuldades depois de outubro de 1187. Os recursos eram de suprema importância. Naquele outono, os súditos e os aliados de Saladino estavam exauridos, e os recursos financeiros mal administrados do sultão já estavam se esgotando devido aos custos da intensa campanha. Nos anos que se seguiram, enquanto o rio de riqueza das novas conquistas se transformava de torrente em gotejamento, o tesouro aiúbida lutava por saciar os ávidos seguidores de Saladino, demonstrando uma crescente dificuldade na manutenção dos enormes exércitos nos campos.

A captura da Cidade Santa teve outras consequências menos óbvias. Saladino havia reunido uma coalizão islâmica sob a égide da *jihad*. Mas, com o objetivo central da luta tendo sido obtido, os ciúmes, as suspeitas e as hostilidades que jaziam dormentes no mundo muçulmano começaram a ressurgir. Com o tempo, o senso de objetivo que havia brevemente unido o Islã antes de Hattin acabou por se dissolver. O histórico êxito de Jerusalém também levou alguns a se perguntarem onde Saladino pousaria a seguir seu olhar de conquistador – temendo que ele se comprovasse um déspota tirânico, inclinado a subverter a ordem estabelecida, varrendo para longe o califado abássida para forjar uma nova dinastia e um novo império.

Como forasteiro curdo que usurpou a autoridade dos zênguidas, Saladino nunca chegou a gozar do apoio inequívoco dos muçulmanos turcos, árabes e persas. Ele tampouco podia alegar algum direito divino de governar. Em vez disso, o sultão havia construído cuidadosamente sua imagem pública como defensor da ortodoxia sunita e de dedicado *mujahid*. Seguindo o conselho de assessores como al-Fadil e Imad al-Din, Saladino também tratara de cultivar o apoio do califa abássida al-Nasir, de Bagdá, pois esse apoio trouxe-lhe o selo da legitimidade. Depois de 1187, o sultão perseverou em sua política de demonstrar deferência para com al-Nasir, mas, com os aiúbidas agora aparentemente inatacáveis, as relações tornaram-se crescentemente tensas.[17]

Empurrando os francos para o mar

A principal preocupação estratégica de Saladino no final de 1187 era varrer os postos avançados latinos que ainda restavam no Levante, blindando o Oriente Próximo contra qualquer cruzada lançada da Europa Ocidental. Mas a obra de erradicar os vestígios remanescentes do poderio franco não prometia ser rápida ou fácil. Na esteira da vitória de Hattin, boa parte da Palestina havia sido conquistada, e os importantes portos de Acre, Jafa e Ascalão agora estavam em mãos muçulmanas, mas alguns bastiões franceses na Galileia e na Transjordânia ainda resistiam. Em outros locais, os estados cristãos de Trípoli e Antioquia, ao norte, ainda estavam intactos, embora um dos potenciais oponentes de Saladino, o conde Raimundo III, de Trípoli, tivesse morrido de causas naturais naquele setembro, tendo escapado do campo de batalha de Hattin e buscado refúgio no norte do Líbano.

A questão mais premente era Tiro. Ao longo do verão de 1187, a cidade portuária tinha se tornado um foco de resistência latina na Palestina, e Saladino havia permitido que milhares de refugiados cristãos se abrigassem em suas muralhas. Tiro podia ter caído diante dos exércitos do sultão logo após Hattin se o comando de sua guarnição e de suas defesas não tivesse sido assumido por Conrado, o marquês de Montferrat. Nobre do norte da Itália e irmão do falecido Guilherme de Montferrat (o primeiro marido de Sibila de Jerusalém e pai de Balduíno V), Conrado havia servido ao último imperador bizantino, Isaac II Ângelo, em Constantinopla. Mas depois de assassinar um dos inimigos políticos de Isaac no início do verão de 1187, o marquês decidiu se redimir e fez uma peregrinação à Terra Santa, chegando à Palestina em julho de 1187 – concidentemente apenas alguns dias depois de Hattin.

Conrado encontrou Tiro num estado lamentável. A chegada do marquês acabou sendo uma grande dádiva para os francos e uma intrusão sem precedentes para Saladino. Conrado era profundamente ambicioso – ardiloso e inescrupuloso como agente político, competente e autoritário como general –, e ele aproveitou a oportunidade representada pela situação de Tiro, rapidamente assumindo seu controle. Incitando o povo da cidade à ação, ele reforçou imediatamente as suas já formidáveis fortificações. A decisão de Saladino de canalizar sua energia para o cerco de Jerusalém em setembro de 1187 deu ao conde uma valiosa oportunidade de ação; ele se aproveitou bem dela, obtendo o apoio das Ordens Militares e das frotas de Pisa e Gênova para preparar Tiro para o ataque.

No início de novembro, quando Saladino finalmente marchou sobre Tiro, encontrou uma cidade invulnerável. Construída numa ilha e com acesso por terra apenas por uma estreita passarela construída por mãos humanas, essa fortaleza compacta era protegida por muralhas duplas. Um peregrino muçulmano que a visitou alguns anos antes elogiou sua "(maravilhosa) força e inexpugnabilidade", observando que qualquer um "que tentasse conquistá-la não conseguiria derrotá-la ou humilhá-la". Tiro também era renomada por um excelente ancoradouro de águas profundas, com seu porto interno ao norte sendo protegido por muralhas e uma corrente.[18]

Por mais de seis semanas, em meio aos rigores do inverno, cercou Tiro por terra e por mar, na esperança de obrigar Conrado à submissão. Catorze catapultas foram erguidas pelos muçulmanos, "e noite e dia (o sultão as fazia) arremessar pedras para dentro (da cidade)". Saladino também recebeu reforços de importantes membros de sua família: seu irmão e mais precioso aliado, al-Adil; al-Afdal, o filho mais velho do sultão, herdeiro presumível do Império Aiúbida; e al-Zahir, um de seus filhos mais novos, então designado como governante de Alepo, que teve em Tiro sua primeira experiência militar. A frota aiúbida, por seu lado, foi enviada do Egito para bloquear o porto. Contudo, apesar dos enormes esforços do sultão, pouco progresso foi obtido. Por volta de 30 de dezembro, os francos obtiveram uma notável vitória, iniciando um ataque naval surpresa e capturando onze galeras muçulmanas. Esse revés parece ter abalado profundamente o moral dos aiúbidas. Posteriormente, um templário escreveu em um despacho para a Europa que o próprio Saladino ficou tão abatido que "cortou as orelhas e caudas de seu cavalo e cavalgou em meio a todo seu exército à vista de todos". Com o moral em queda de seu exército exaurido, o sultão decidiu arriscar tudo numa ofensiva final. Em 1º de janeiro de 1188, lançou um empolado ataque frontal pela passarela, mas foi repelido. Tendo chegado a um impasse, Saladino suspendeu o cerco, deixando Tiro em posse de Conrado. Saladino frequentemente é criticado por esse fracasso. O iraquiano contemporâneo Ibn al-Athir ofereceu um elogio acanhado da conduta do sultão como general, observando que: "este era o costume de Saladino. Quando uma cidade resistia, ele se cansava dela e do cerco e partia... ninguém, além de Saladino, pode ser culpado neste caso, pois foi ele que enviou exércitos franceses a Tiro". Em parte, a decisão do sultão pode ser justificada pelas inerentes fraquezas de seu regime militar. No final de 1187, depois de meses de campanha, com os recursos aiúbidas chegando quase à exaustão e a lealdade de alguns de seus aliados vacilando, Saladino estava obviamente lutando para manter os soldados em ação. Julgando que sua base de apoio dependia de sua continuada capacidade de pagar e recompensar suas tropas, relutando em insistir naquele ataque e correr o risco de insurreição, ele preferiu partir para uma presa menos intratável. Na verdade, contudo, a flagrante humilhação de Tiro era reveladora. A antiga resolução do sultão, tomada em setembro de 1187, de priorizar o objetivo devocional e político de Jerusalém tivera certa lógica. Mas ao virar as costas para a Tiro não conquistada em janeiro de 1188, o sultão deixou expostas suas limitações. Apesar de toda a energia exercida para unir o Islã, de todos os preparativos para a guerra santa, em última instância Saladino não possuía nem a vontade nem os recursos para completar a conquista do litoral da Palestina. Pela primeira vez desde Hattin, parecia que os conquistadores aiúbidas incontestes poderiam falhar na tentativa de varrer os francos para o mar.[19]

Varrendo os peões

Saladino passou o resto daquele inverno descansando em Acre. Ansioso devido à perspectiva de uma contraofensiva cristã, ele considerou a possibilidade de arrasar a cidade para impedir que ela caísse em mãos inimigas, mas acabou por preferir deixar intacta essa "fechadura das terras costeiras", encarregando Qaragush, do Egito, para supervisionar a defesa de Acre. A partir da primavera de 1188, Saladino começou a marchar pela Síria e a Palestina, procurando povoações latinas, postos avançados e fortalezas vulneráveis, obtendo conquistas relativamente fáceis. Passando por Damasco e o vale de Biga, naquele verão ele lançou ataques ao principado da Antioquia e os limites norte do condado de Trípoli. Latáquia, o principal porto sírio, foi capturado, enquanto costa abaixo o *gadi* (juiz religioso) muçulmano de Jabala, em mãos latinas, tratava da rendição do porto. O sultão também tomou castelos como os de Baghras e Trapesac, nas Montanhas Amanus, ao norte de Antioquia, e Saone e Bourzey, ao sul das Montanhas Ansariyah.

Saladino obteve conquistas significativas nos Estados cruzados ao norte, mas se mostrou profundamente relutante em se comprometer com investimentos prolongados. Os imponentes castelos dos hospitalários e templários em Krak des Chevaliers, Margab e Safita foram todos evitados, e nenhum esforço foi feito para ameaçar as capitais de Trípoli e Antioquia – com Saladino acertando uma trégua de oito meses com esta última (embora com condições punitivas) antes de retornar a Damasco. O sultão, em seguida, empenhou-se numa campanha de inverno na Galileia, garantindo a capitulação os últimos bastiões franceses da região: Safad, pertencente aos templários, e Belvoir, de posse dos hospitalários. Por essa mesma época, tropas aiúbidas capturaram Kerak, na Transjordânia, e seis meses depois, Montreal, nas vizinhanças. O fator principal desses sucessos foi o isolamento latino. Cercadas e situadas bem no centro do que agora era território muçulmano, as guarnições de todos esses poderosos castelos "cruzados" viram-se em situação desesperadora. Sem a possível perspectiva de resistir indefinidamente, depuseram as armas, permitindo que Saladino consolidasse seu domínio sobre a Palestina. Varrendo o Levante, o sultão manteve o ímpeto marcial por todo o ano de 1188, mas ao custo de deixar Antioquia inviolada e o condado de Trípoli intacto.

Durante a campanha desse ano, Baha al-Din ibn Shaddad juntou-se ao círculo íntimo de conselheiros de Saladino. Intelectual religioso de grande erudição, nativo de Mossul e treinado em Bagdá, Baha al-Din havia atuado como negociador para os zênguidas em 1186, quando, no início da grave doença do sultão, negociou os termos de um acordo com Izz al-Din, de Mossul. Em 1188, Baha al-Din aproveitou-se da recente conquista muçulmana da Terra Santa, fazendo uma peregrinação a Meca e Jerusalém. Foi então que Saladino o convidou para integrar a corte aiúbida, evidentemente impressionado pela devoção, intelecto e sabedoria de Shaddad. Quando os dois se encontraram, Baha al-Din presenteou o sultão com uma cópia do novo tratado de sua autoria *As virtudes da Jihad*, sendo nomeado *gadi* do exército. Ele rapidamente se tornou um dos conselheiros mais próximos e mais confiáveis de Saladino, ficando com ele quase constantemente durante os anos que se seguiram. Mais tarde, Baha al-Din escreveu uma biografia detalhada de seu mestre, que agora serve como fonte histórica de importância crucial, particularmente com relação ao período que se segue a 1188.[20]

A perda do foco

Apesar de ter feito planos para deslanchar novas e mais determinadas ofensivas contra Trípoli e Antioquia com o início da nova etapa de lutas, Saladino não conseguiu voltar para o norte em 1189. Em vez disso, aparentemente cansado pelo peso do governar e da campanha quase incessante, o sultão tornou-se, de um modo que não lhe era característico, indeciso e ineficaz. A cada mês, crescia a perspectiva de uma retaliação do Ocidente. Com certeza, Saladino tinha consciência de que a Terceira Cruzada estava para acontecer – numa carta escrita ainda nesse ano, seu conselheiro Imad al-Din demonstrava uma compreensão incrivelmente detalhada e precisa do escopo, organização e objetivos da cruzada. No entanto, o sultão não fez nenhuma tentativa desesperada para superar a resistência de Tiro antes que caísse a tempestade inevitável. Em vez disso, ele inexplicavelmente passou a primavera e o início do verão de 1189 em prolongadas negociações com relação ao destino de Beaufort, uma fortaleza latina relativamente insignificante e isolada, aninhada nas montanhas do sul do Líbano, bem acima do rio Litani.

Outra decisão questionável revelou-se ainda mais custosa. Como vencedor da batalha em Hattin em julho de 1187, Saladino tomara Guy de Lusignan, o rei latino de Jerusalém, como prisioneiro. No verão de 1188, o sultão decidiu libertar Guy do cativeiro (aparentemente depois de repetidos apelos de Sibila, a esposa de Guy). O motivo por trás desse ato de magnanimidade aparentemente imprudente é difícil de adivinhar. Talvez Saladino julgasse que Guy fosse uma força superada, incapaz de sublevar os franceses, ou possivelmente esperasse que ele pudesse causar disputa e dissensão entre os cristãos, desafiando o crescente poder de Conrado de Montferrat em Tiro. Quaisquer que fossem suas razões, o sultão provavelmente não esperava que Guy honrasse as promessas que havia feito por sua liberdade – renunciar a toda reivindicação ao reino latino e partir imediatamente do Levante, promessas que Guy renegou assim que foi libertado.²¹

Se Saladino considerava Guy um homem acabado, estava redondamente enganado. A princípio, o rei latino lutou para impor sua vontade aos franceses, e duas vezes Conrado recusou sua entrada em Tiro. Mas no verão de 1187 Guy estava preparando uma jogada inesperadamente ousada e corajosa.

O GRANDE CERCO DE ACRE

O calor sufocante de meados do verão de 1187 encontrou Saladino ainda ocupado com a conquista da obstinada fortaleza de Beaufort. Mas no final de agosto chegaram-lhe notícias, quando ele estava nas colinas dos planaltos libaneses, que despertaram um sentimento de medo e suspeita – os francos tinham partido para a ofensiva. Em 1187-8, Conrado de Montferrat havia desempenhado um papel crucial na defesa de Tiro contra o Islã, embora ainda hesitasse em aceitar a ideia de uma agressiva guerra de reconquista. Seguro dentro das muralhas da sua cidade, Conrado parecia se contentar em aguardar o advento da Terceira Cruzada e dos grandes monarcas da Europa latina – preferindo, de modo geral, esperar pela guerra que se aproximava, aguardando por sua oportunidade de agir.

Então, a mais improvável das figuras decidiu tomar a iniciativa.

O rei em desgraça de Jerusalém, Guy de Lusignan, cuja vergonhosa derrota em Hattin havia condenado seu reino à virtual aniquilação, resolveu tentar o impensável. Na companhia de seu temível irmão, Godofredo de Lusignan, um recém-chegado ao Levante, bem como de um grupo de templários e hospitalários e alguns milhares de homens, Guy começou a marchar do sul de Tiro para Acre, a cidade em posse dos muçulmanos. Ele parecia estar fazendo uma tentativa suicida de retomar seu reino. A princípio, Saladino recebeu essa ação com ceticismo. Acreditando que se tratava de um mero artifício para afastá-lo de Beaufort, ele não arredou o pé. Isso permitiu que o rei Guy negociasse a estreita Passagem de Scandelion, onde, como escreveu um franco, "nem todo o ouro da Rússia" poderia tê-los salvo se os muçulmanos bloqueassem seu avanço. Percebendo seu erro, Saladino deu início a um cuidadoso avanço para o sul, em direção a

Marj Ayun e o Mar da Galileia, esperando atingir o próximo deslocamento dos cristãos virando para oeste, em direção à costa. Beneficiando-se da circunspecção do inimigo, Guy seguiu a estrada sul para chegar a Acre no dia 28 de agosto de 1189.[22]

Acre era um dos maiores portos do Oriente Médio. Sob a dominação franca, havia se tornado uma importante residência real – um centro comercial vibrante, populoso e cosmopolita, e o principal ponto de chegada para os peregrinos cristãos latinos que visitavam a Terra Santa. Em 1184, um viajante muçulmano descreveu-o como "um porto convocatório de todos os navios", observando que "suas estradas e ruas estão apinhadas pela aglomeração das pessoas, de modo que é difícil colocar o pé no chão" e admitindo que "(a cidade) fede e é suja, cheia de refugo e excremento".

Construída num promontório triangular projetando-se para o Mediterrâneo, Acre era fortemente defendida por um circuito quadrado de muralhas. Um cruzado mais tarde observou que "mais de um terço de seu perímetro, a sul e a oeste, é fechado pelas ondas fluidas". A nordeste, as muralhas se encontram numa fortificação principal, conhecida como a Torre Amaldiçoada (onde, afirmava-se, "foi feita a prata em troca da qual Judas, o Traidor, vendera o Senhor"). No canto sudeste da cidade, as muralhas avançavam para o mar, criando um pequeno porto interno e um porto externo, protegido por uma muralha maciça estendendo-se de norte a sul até um afloramento natural de rocha – local de uma pequena fortificação conhecida como Torre das Moscas. A cidade ficava na extremidade norte de uma grande baía ao sul de Haifa e do Monte Carmelo, cercada por uma planície costeira relativamente não acidentada e aberta, com cerca de 32 quilômetros de extensão e entre um quilômetro e meio e seis quilômetros e meio de largura. Cerca de um quilômetro e meio ao sul do porto, o pouco profundo rio Belus alcançava a costa.

A cidade ficava na entrada da Palestina – um bastião contra qualquer invasão cristã provinda do norte, por terra ou por mar. Aqui, a resistência de Saladino, seu gênio militar e sua dedicação à *jihad* seriam testadas até o limite, quando muçulmanos e cristãos foram envolvidos em um dos mais extraordinários cercos das cruzadas.[23]

O cerco de Acre
durante a Terceira Cruzada

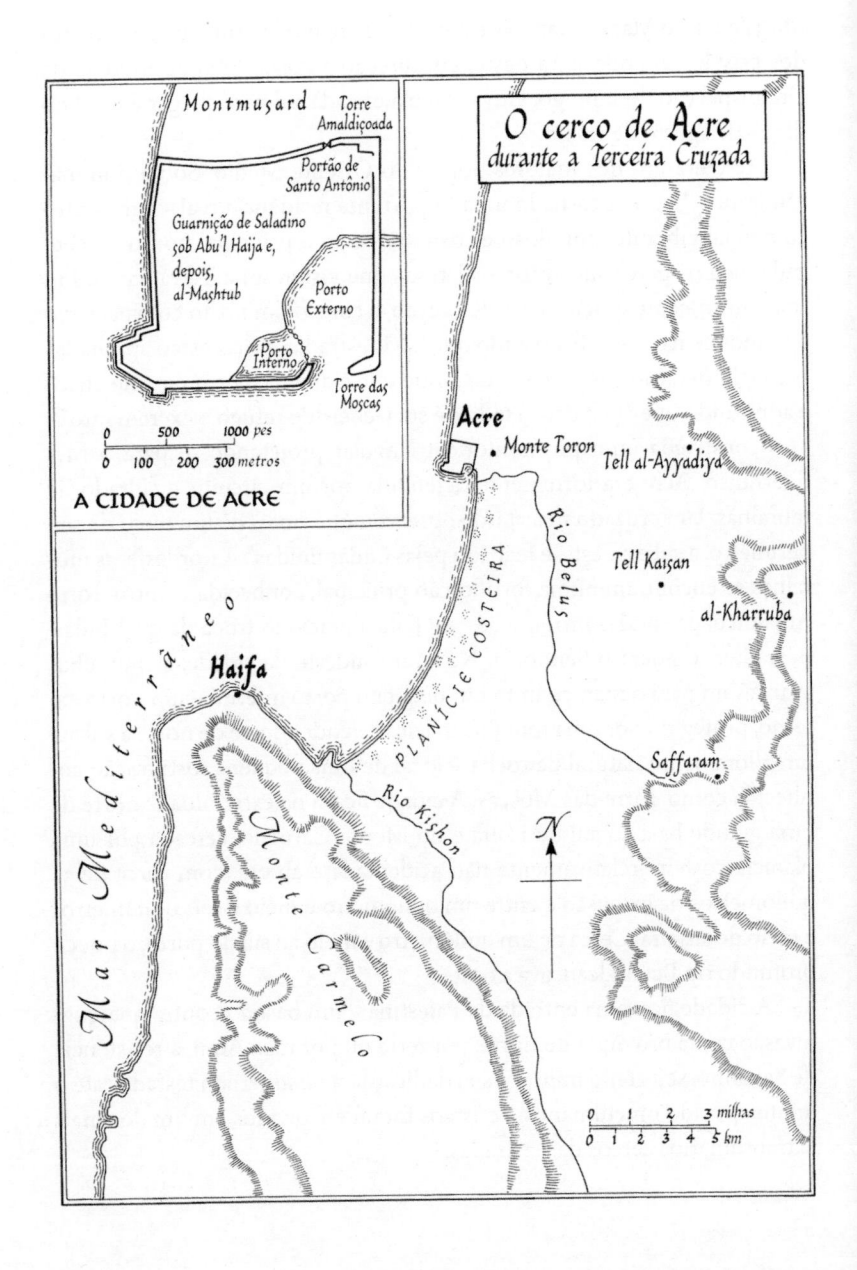

A CIDADE DE ACRE

- Montmusard
- Torre Amaldiçoada
- Portão de Santo Antônio
- Guarnição de Saladino sob Abu'l Haija e, depois, al-Maştub
- Porto Externo
- Porto Interno
- Torre das Moscas

Mar Mediterrâneo
Haifa
Monte Carmelo
Rio Kishon
Planície Costeira
Acre
Monte Toron
Rio Belus
Tell al-Ayyadiya
Tell Kaisan
al-Kharruba
Saffaram

Primeiros encontros

Quando o rei Guy chegou a Acre, suas perspectivas eram incrivelmente desanimadoras. Um franco contemporâneo observou que ele havia disposto sua parca força "entre o martelo e a bigorna"; outro observou que ele precisaria de um milagre para prevalecer. Nem a guarnição muçulmana aparentemente sentiu medo e começou a vaiar do alto das muralhas de Acre ao avistar o "punhado de cristãos" que acompanhava o rei. Mas Guy demonstrou de imediato que desenvolvera um senso mais refinado de estratégia; tendo sondado o acampamento naquela noite, sob a proteção do manto da escuridão, ele se posicionou no topo de uma colina atarracada conhecida como Monte Toron. Com aproximadamente 35 metros de altura, cerca de oitocentos metros a leste da cidade, este posto oferecia aos franceses uma proteção natural e uma vista geral da planície de Acre. Em alguns dias, um grupo de navios de Pisa chegou. Apesar do cerco punitivo que se seguiria, muitos dos cruzados italianos a bordo tinham trazido suas famílias. Estes bravos homens, mulheres e crianças desembarcaram na praia ao Sul de Acre, ali acampando.[24]

O avanço premeditadamente contido de Saladino em direção à costa quase teve consequências desastrosas. Suplantado em números e exposto do lado externo de Acre como estava, Guy decidiu arriscar um imediato assalto frontal à cidade, embora não tivesse catapultas ou outros materiais de assédio. No dia 31 de agosto os latinos atacaram, escalando as muralhas com escadas, protegidos apenas por seus escudos, e poderiam ter vencido as muralhas não fosse o aparecimento dos batedores do sultão na planície à volta da cidade, o que provocou uma retirada em pânico. Depois de poucos dias, Saladino chegou com o restante de suas tropas, e todas as esperanças dos latinos de forçar uma rápida capitulação de Acre se evaporaram; em vez disso, encararam a terrível perspectiva de uma guerra em duas frentes – e a quase certeza da destruição nas mãos do vencedor de Hattin.

Contudo, no exato momento em que Saladino teve que agir com segurança decisiva, ele vacilou. Ter permitido que Guy chegasse a Acre demonstrou ter sido um equívoco, mas o sultão agora cometeu um erro de avaliação ainda maior. Realmente, faltava a Saladino uma grande superioridade numérica, mas ele ainda suplantava os francos e, por meio de um ataque cuidadosamente coordenado em conjunção com a guarnição de Acre, poderia ter cercado e devastado suas posições. Mas achou que uma investida rápida seria arriscada demais e, em vez disso, tomou uma posição cautelosa nas encostas de al-Kharruba, cerca de nove quilômetros a sudeste, com uma visão de toda a planície de Acre. Sem o conhecimento dos latinos, conseguiu infiltrar um destacamento de homens (presumivelmente acobertados pela escuridão da noite) na cidade para reforçar suas defesas e, enquanto grupos para provocar escaramuças eram regularmente enviados para o acampamento de Guy no Monte Toron, Saladino preferiu segurar o grosso de suas forças e esperar pacientemente pelo reforço de seus aliados. Nessa ocasião, essa precaução, marca tão frequente da estratégia do sultão, foi inapropriada, produto de uma leitura equivocada do quadro estratégico. Um fator crucial significava que Saladino não podia se dar ao luxo de desperdiçar tempo: o mar.

Quando Saladino chegou a Acre no início de setembro de 1189, a cidade estava sendo atacada pelo exército de Guy e pelos homens de Pisa. Mas no que se seguiu a Hattin e à queda de Jerusalém, foi quase inevitável que o assédio franco deste porto se tornasse um foco central da raiva retaliatória da Europa latina. Se fosse um cerco no interior, as forças do rei poderiam ter sido prontamente isoladas, sem receber suprimentos e reforços, e a circunspecção de Saladino teria feito sentido. Em Acre, o Mediterrâneo funcionava como uma artéria pulsante e instável, ligando a Palestina ao Ocidente, e enquanto o sultão aguardava que seus exércitos se reunissem, navios começaram a chegar pululando de tropas cristãs para dar apoio ao cerco. Imad al-Din, então no acampamento de Saladino, mais tarde descreveu que, olhando para a costa, via-se um fluxo aparentemente constante de navios franceses chegando a Acre e uma crescente frota alinhava-se ao longo da costa "como um matagal intrincado". Esse espetáculo enervava os muçulmanos dentro e fora do porto, e, para levantar o moral, Saladino aparentemente fez circular uma história de que os latinos na verdade estavam levando seus navios embora a cada noite e "quando estava claro... (voltando) como se estivessem acabando de chegar". Na realidade, a prevaricação do sultão ofereceu a Guy um período de alívio desesperadamente necessário para reunir homens.[25]

Um grupo importante de reforços chegou por volta do dia 10 de setembro – uma frota de cinquenta navios carregando cerca de doze mil cruzados frísios e dinamarqueses, assim como cavalos. Fontes ocidentais descrevem sua chegada como um momento de salvação, um ponto de reviravolta da situação, que permitiria aos sitiadores latinos por fim terem alguma chance de sobrevivência. Entre as novas tropas estava Jaime de Avesnes, um renomado guerreiro de Hainaut (uma região na moderna fronteira entre a França e a Bélgica). Saudado por um contemporâneo como "Alexandre, Heitor e Aquiles", um habilidoso veterano da arte da guerra e da política do poder, Jaime havia sido um dos primeiros cavaleiros ocidentais a aceitar a cruz em novembro de 1187.

Durante o mês de setembro, cruzados continuaram a chegar, inflando as fileiras do exército franco. Entre eles havia potentados extraídos das camadas superiores da aristocracia europeia. Filipe de Dreux, bispo de Beauvais, era tido como "um homem mais devotado às batalhas que aos livros", e seu irmão Roberto de Dreux provinha do norte da França, bem como Everardo, conde de Brienne, e seu irmão André. A eles se juntou Luís III da Turíngia, um dos mais poderosos nobres da Alemanha. No final do mês, até Conrado de Montferrat havia decidido, aparentemente por insistência de Luís, sair de Tiro e se dirigir para o sul, a fim de se juntar ao cerco, trazendo cerca de mil cavaleiros e 20 mil soldados de infantaria.[26]

Saladino também estava recebendo um influxo de tropas. Na segunda semana de setembro, o grosso das forças convocadas para a cidade de Acre havia chegado. Contando com al-Afda, al-Zahir, Tagi al-Din e Keukburi, o sultão avançou para a planície de Acre, posicionando-se num arco que ia de Tell al-Ayyadiya, ao norte, passando por Tell Kaisan (local que mais tarde ficou conhecido como o Toron de Saladino), até o rio Belus, a sudoeste. Assim que ele assumiu essa nova posição, os francos tentaram estabelecer um semicírculo em torno de Acre – da costa norte, passando pelo Monte Toron e o Belus (que servia como supridor de água), até as praias arenosas do sul. Saladino repeliu essa primeira tentativa latina de bloqueio com relativa facilidade. Até então, faltavam aos cruzados os recursos para selar de maneira efetiva cada abordagem da cidade, e um assalto combinado à guarnição de Acre e um destacamento de tropas sob o comando de Tagi al-Din rompeu a parte mais fraca de suas linhas ao norte, permitindo que uma caravana de camelos com suprimentos entrasse na cidade pelo Portão de Santo Antônio num sábado, dia 16 de setembro.

No meio da manhã desse dia, o próprio Saladino entrou em Acre, subindo as muralhas para examinar o acampamento inimigo. Olhando das ameias para o apinhado acampamento cruzado espalhado pela planície lá embaixo, agora cercado por um mar de guerreiros muçulmanos, ele deve ter sentido uma sensação de segurança. Com a cidade salva, seu exército pacientemente reunido podia se voltar para a tarefa de aniquilação dos francos que, de maneira tão arrogante, pensaram em ameaçar Acre, e a vitória seria alcançada. Mas o sultão havia esperado demais. Nos três dias seguintes, suas tropas repetidamente procuraram romper as posições latinas ou atrair o inimigo para uma batalha decisiva em campo aberto, sem nenhum êxito. Nas semanas que se seguiram à chegada do rei Guy, as engrossadas fileiras cruzadas tinham firmado suas posições e agora repeliam todos os ataques. Uma testemunha muçulmana descreveu-as erguendo-se "como uma parede por trás de seus manteletes, escudos e lanças, com as bestas niveladas", recusando-se a romper sua formação. Como os cristãos se aferrassem com teimosa tenacidade à sua base de apoio fora de Acre, a tensão da situação começou a afetar Saladino. Um de seus médicos revelou que o sultão estava tão atormentado pela preocupação que mal comeu durante dias. A bravura dos francos logo provocou indecisão e dissensão no círculo íntimo de Saladino. Com alguns conselheiros argumentando que seria melhor esperar a chegada da frota egípcia, e outros advogando que o inverno que se aproximava provocaria estragos entre os cruzados, o sultão oscilava, e os ataques às linhas cristãs ficaram num impasse. Uma carta para o califa de Bagdá ofereceu um sumário positivo dos eventos – os latinos tinham chegado como uma torrente, mas "um caminho havia sido aberto até a cidade através de suas gargantas" e eles agora estavam derrotados –, mas, na realidade, Saladino deve ter começado a perceber que o cerco de Acre poderia ser difícil de superar.[27]

A primeira batalha

As semanas seguintes viram escaramuças intermitentes, enquanto os navios franceses continuavam a trazer mais e mais cruzados para o cerco. No dia 5 de outubro de 1189, uma quarta-feira, os cristãos eram suficientemente numerosos para tentar partir para a ofensiva, deslanchando um ataque sobre o acampamento de Saladino no que foi a primeira batalha em escala total da Terceira Cruzada. Deixando seu irmão Godofredo para defender o Monte Toron, o rei Guy reuniu o grosso das forças francas no sopé da colina, cuidadosamente estabelecendo uma ampla linha de batalha com a ajuda das Ordens Militares e dos potentados como Everardo de Brienne e Luís da Turíngia. Com soldados da infantaria e arqueiros nas fileiras da frente, formando uma proteção para os cavaleiros em seus cavalos, os cristãos começaram a cruzar a planície aberta em direção aos muçulmanos, marchando em formação cerrada e em passo lento. Esse não seria um ataque leve, mas um avanço disciplinado em que os cruzados tentariam enfrentar o inimigo em massa, protegidos por sua formação estritamente controlada. Inspecionando o campo de seu ponto elevado de Tell al-Ayyadiya, Saladino teve bastante tempo para distribuir suas forças pela planície, entremeando esquadrões com comandantes de confiança, como al-Mashtub e Taqi al-Din, com tropas relativamente inexperientes, como as de Diar Baquir no curso superior do Tigre. Ocupando o centro com Isa, mas procurando desempenhar um papel de comando móvel, o sultão preparou-se para enfrentar os francos.

Ao amanhecer, a cena no exterior de Acre era espetacular e inquietante. Por mais de duas horas, milhares de cruzados em fileiras cerradas, erguendo resplandecentes estandartes, avançaram em passo lento, aproximando-se dos homens de Saladino para entrar em batalha. Os soldados dos dois lados devem ter lutado para controlar os nervos. Então, por fim, na metade da manhã, a luta começou quando o flanco esquerdo dos cristãos alcançou as linhas muçulmanas ao norte, onde Taqi al-Din estava estacionado. Na esperança de enganar os francos, obrigando-os a uma formação de carga total, Taqi al-Din despachou alguns soldados provocadores de escaramuças e, então, fingiu uma retirada limitada. Infelizmente, sua manobra foi tão convincente que Saladino acreditou que seu sobrinho estava sendo realmente ameaçado e despachou tropas do centro de sua formação para reforçar o norte. Esse desequilíbrio de formação favoreceu os cruzados. Avançando com rígida disciplina, eles atacaram o flanco direito da divisão de Saladino "como se fossem um só homem, a cavalo e a pé", rapidamente colocando o inexperiente guerreiro de Diar Baquir lá estacionado em fuga total. O pânico se generalizou, e a metade direita da divisão central do sultão desmoronou. Por um instante, Saladino pareceu estar à beira da derrota. Com o caminho até o acampamento muçulmano subitamente aberto em Tell al-Ayyadiya, os franceses correram colina acima. Um destacamento de cruzados chegou a alcançar a tenda pessoal do sultão, e um empregado encarregado de seu vestuário foi morto. Mas o entusiasmo da vitória e, é claro, o desejo de saquear provocaram uma reviravolta na situação. Na agitação do momento, a formação dos cruzados, preservada com cuidado até então, dissolveu-se: muitos se voltaram para o saque, enquanto os templários perseguiam obstinadamente os muçulmanos que batiam em retirada, mas descobriram que, sem apoio, haviam se separado da força principal. Enquanto tentavam uma retirada desesperada, Saladino reuniu suas tropas. Acompanhado por apenas cinco guardas, ele avançou com resolução fortalecida e lançou um ataque aos templários que batiam em retirada. No embate que se seguiu, os irmãos daquela orgulhosa ordem foram dizimados. Seu mestre, Geraldo de Ridefort, o veterano de Hattin, se viu encurralado no meio da luta. Com "suas tropas sendo massacradas por todos os lados", ele recusou-se a fugir para buscar segurança e foi morto.

Com o resultado da batalha já se definindo em favor de Saladino, dois eventos selaram o destino dos cristãos. Enquanto o combate se desenvolvia na planície entre o Monte Toron e Tell al-Ayyadiya, a guarnição muçulmana de Acre saiu da cidade e atacou, ameaçando o acampamento dos cruzados e a retaguarda de seu exército. Sentido que logo estariam cercados, lutando por manter uma aparência de formação, os francos estavam à beira do pânico. Um pequeno incidente infeliz foi a gota d'água. Um grupo de alemães ainda engajados na pilhagem do acampamento de Saladino perdeu o controle de um de seus cavalos e, quando o animal disparou em direção a Acre, eles foram atrás dele. A visão de outro destacamento cruzado aparentemente em fuga total provocou no exército cristão uma completa desordem; enquanto o medo se espalhava pelas fileiras, uma total debandada teve início. Com milhares de soldados agora correndo para a relativa segurança das trincheiras cristãs, implacavelmente perseguidos pelos homens de Saladino, o caos se instalou. "A matança prosseguiu sem cessar", escreveu a testemunha ocular Baha al-Din, "até que os fugitivos que sobreviveram alcançassem o acampamento inimigo". André de Brienne tombou cortado por lâminas enquanto tentava conter a debandada, e embora pedisse socorro ao irmão que passava, o conde Everardo estava aterrorizado demais para se deter. Em outro local, Jaime de Avesnes perdeu seu cavalo, mas um dos cavaleiros ofereceu-lhe sua montaria para que pudesse escapar e, então, voltou-se para encarar a morte. Chegou-se a afirmar que o rei Guy salvou Conrado de Montferrat quando o marquês se viu cercado por muçulmanos.

Saladino não se mostrou capaz de tirar proveito de sua vantagem à medida que a batalha se aproximava do fim. Tropas latinas estacionadas no acampamento cruzado resistiram ferozmente às tentativas muçulmanas de romper suas posições, e, talvez o que tenha sido mais importante, o acampamento do sultão ainda estava em total confusão. Quando os cruzados lutaram para abrir caminho até as encostas do Tell al-Ayyadiya, grupos de servos do exército muçulmano decidiram tirar proveito da situação, saqueando o que puderam e batendo em retirada. Justamente quando Saladino precisou direcionar o peso total de seu poderio militar contra os francos que batiam em retirada, vários setores de seu exército estavam engajados na perseguição de seus servos ladrões.

Não obstante, a julgar por tudo isso, esta foi uma vitória para o Islã. Naquela manhã, os cristãos tinham vindo em busca de uma batalha e foram derrotados, deixando de três mil a quatro mil de seus homens mortos ou moribundos nas planícies de Acre quando a noite começou a cair. O horror e a humilhação dos acontecimentos do dia chegaram ao conhecimento do exército cruzado quando uma figura mutilada e seminua se arrastou até o acampamento no meio da noite. O pobre infeliz, um cavaleiro chamado Ferrand, foi mutilado no curso da luta, escondendo-se entre os camaradas tombados, para ser despojado de suas roupas pelos saqueadores muçulmanos e deixado entre os mortos. Quando por fim chegou à segurança das linhas francas, "estava tão desfigurado por seus ferimentos que seu pessoal não o reconheceu e ele mal conseguiu persuadi-los a deixá-lo entrar". Na manhã seguinte, Saladino decidiu enviar uma mensagem curta e grossa a seus inimigos: tendo reunido os mortos cristãos, ele lançou seus corpos no Belus para que flutuassem corrente abaixo até o acampamento latino. Dizem que o fedor do grande número de corpo permaneceu no ar muito tempo depois de terem sido enterrados.²⁸

Apesar disso, a batalha de 4 de outubro provocou um dano duradouro nas perspectivas de Saladino. Em termos de mortos e feridos, as baixas muçulmanas tinham sido mínimas, mas os membros do exército do sultão que fugiram no campo de batalha naquele dia não retornaram – na verdade, dizia-se que alguns deles não pararam de correr até chegar ao Mar da Galileia – e sua substituição não foi fácil. E o que foi pior, a debandada do acampamento de Saladino abalou o moral e semeou a desconfiança. Baha al-Din observou que, na pilhagem, "as pessoas perderam grandes somas" e que "isso foi mais desastroso que a própria debandada". O sultão fez sinceros esforços para recuperar o máximo possível dos pertences perdidos, juntando uma vasta quantidade de pilhagem em sua tenda que podia ser reclamada se as pessoas jurassem que se tratava de seus pertences, mas o dano psicológico já estava feito.

Após a batalha, Saladino decidiu rever sua estratégia. Depois de cinco dias na linha de frente, suas tropas se queixavam de exaustão, enquanto ele próprio começava a padecer de uma doença. Por volta de 13 de outubro, suas forças e bagagens começaram a voltar do conturbado campo de batalha para o cerco mais distante de al-Kharruba esperando a chegada de al-Adil. Esta foi uma tácita admissão de fracasso; um reconhecimento de que, nesta primeira e crucial fase do cerco, Saladino tinha sido incapaz de desalojar a força cruzada. Pela lógica da ciência militar, os francos haviam conseguido o impossível – o bem-sucedido estabelecimento de uma investida, penetrando profundamente no território inimigo, embora enfrentando um exército opositor. Os historiadores têm se mostrado consistentemente perplexos quanto a essa aparente anomalia. Contudo, uma explicação fica clara: a natureza costeira do cerco certamente forneceu aos francos uma via de importância vital, mas, o que é mais importante, os primeiros embates desse conflito confirmaram a profunda crise de poder de combate enfrentada por Saladino enquanto expunha sua própria incapacidade de comandar com determinação. Insistindo em sua tática habitual de evitar o confronto em escala total quando lhe faltava uma esmagadora superioridade militar, o sultão acreditava estar seguindo o rumo mais seguro. Mas nessa conjuntura crítica, fazia-se necessária a ação, e não a cautela.

Comprometer-se com um ataque frontal às posições dos cruzados no início do cerco de Acre pode ter sido uma aposta, a qual Saladino tinha uma grande chance de ganhar, embora a um custo considerável. Com a decisão de retroceder, tomada em outubro, a chance de eliminar a ameaça cristã antes que ela se enraizasse completamente escapuliu das mãos do sultão. Essa chance não voltaria.[29]

Capitalizando o tempo para respirar que lhes fora concedido, os cruzados trataram de garantir suas posições fora de Acre. Em meados de setembro, começaram a construir defesas rudimentares. Agora, com a ameaça de uma ofensiva imediata, "ergueram muralhas de terra e cavaram trincheiras profundas de mar a mar para defender as tendas", criando um elaborado sistema de fortificações semicirculares que fechavam Acre e ofereciam maior proteção contra o assalto muçulmano, fosse da guarnição da cidade ou de Saladino. Para impedir os atacantes a cavalo, a terra de ninguém para além das trincheiras foi salpicada com o equivalente medieval das minas – covas profundas, escondidas e cheias de espigões, destinadas a nocautear cavalo e cavaleiro. Refletindo sobre essas medidas, o crítico por vezes irônico de Saladino, Ibn al-Athir, observou com sarcasmo: "Agora ficou claro como fizeram bem em aconselhar Saladino a se retirar". Ao mesmo tempo, durante todo o mês de outubro, patrulhas muçulmanas registravam o influxo quase diário de reforços latinos, o que levou Saladino a escrever ao califa de Bagdá afirmando que os cristãos estavam sendo supridos por navios mais numerosos que as ondas e lamentando o fato de que, para cada cruzado morto, mil tomavam seu lugar.[30]

Hiato

A chegada do inverno em dezembro de 1189 trouxe uma pausa maior ao cerco. Enfrentando mares agitados e sem acesso à salvaguarda do porto interno de Acre, a frota latina foi forçada a navegar rumo norte, em direção a Tiro e para além desse ponto, em busca de abrigo. Conrado de Montferrat também voltou para Tiro. A piora do tempo forçou uma pausa nas hostilidades à medida que a chuva transformou o terreno entre as trincheiras dos cruzados e o acampamento de Saladino em al-Kharruba em um verdadeiro lamaçal, através do qual era impraticável lançar qualquer ataque. O sultão mandou o grosso de suas tropas para casa, mas permaneceu no local, enquanto os francos se acocoravam para esperar o fim do inverno, na esperança de sobreviver às predações da doença e da fome, dedicando sua energia na construção de máquinas de assédio.

De acordo com seu confidente Baha al-Din, Saladino agora reconhecia "quanta importância os francos... atribuíam a Acre, e como a cidade se tornou o alvo para o qual seus planos determinados eram dirigidos". A decisão de invernar fora da cidade indica que o sultão agora a considerava o campo de batalha crítico daquela guerra. Ele pode não ter tido a coragem de um assalto total ao acampamento cruzado no início daquele outono, mas pelo menos mostrou uma nova e firme determinação de perseverar na campanha. Tendo passado os dois anos que se seguiram a Hattin obtendo conquistas fáceis, evitando confrontos pesados, ele evidentemente decidiu que era preciso traçar uma linha em Acre e que o avanço latino tinha que ser detido. Sabendo muito bem da devastação que cairia sobre Acre na primavera que se aproximava, o sultão começou "(a enviar) provisões, suprimentos, equipamentos e homens suficientes para fazê-lo se sentir confiante de que a cidade estava segura". Foi provavelmente nesse ponto que Saladino nomeou Abu'l Haija, o Gordo, como comandante militar da cidade, juntamente com Qaragush. Até os cruzados ficaram impressionados com essas medidas, com um deles posteriormente comentando que "nunca houve um castelo ou cidade que tivesse tantas armas, tamanha defesa, tamanhos estoques de alimentos, a esse custo". Em meio à agitação dessa atividade, o sultão sofreu uma grave perda pessoal quando Isa, seu amigo íntimo e esperto conselheiro, morreu de doença em 19 de dezembro de 1189.[31]

Os longos meses de impasse não foram domínio apenas de troca de olhares duros e frenética preparação. O inverno ofereceu as primeiras oportunidades de confraternização e o surgimento de uma familiaridade que permaneceria um traço oculto da campanha. Um dos últimos navios latinos a chegar em 1189 tinha trazido um reforço diferente: "trezentas adoráveis francas, cheias de juventude e beleza, reunidas no além-mar para (se oferecerem) para o pecado". O secretário de Saladino, Imad al-Din, sentiu certo prazer escandalizado em descrever como essas prostitutas, que estabeleceram seus locais de atendimento fora de Acre, "subiam suas meias prateadas até encontrarem os brincos de ouro (e) se faziam de alvos para as setas dos homens", mas observou, com evidente repugnância, que alguns muçulmanos também "escapavam" para compartilhar de seus encantos.

Outra testemunha ocular muçulmana observou que os inimigos cristãos e muçulmanos eventualmente "chegavam a se conhecer e nos dois lados conversavam e partiam para a luta. Por vezes, alguns cantavam e outros dançavam, de tão familiares que haviam se tornado". Nos períodos posteriores, a grande proximidade dos dois lados entrincheirados deve ter contribuído para essa familiaridade, pois se afirmava que os muçulmanos estavam "frente a frente com o inimigo... com as fogueiras dos dois acampamentos visíveis umas para as outras. Podíamos ouvir o som de seus sinos e eles podiam ouvir nossos chamados à oração". A guarnição da cidade, pelo menos, ganhou o respeito invejoso dos cruzados, com um soldado comentando que "nunca houve alguém tão bom na defesa quanto esses subordinados do diabo". Esta imagem de florescente amizade e conhecimento não deve ter ido muito longe. Recentes pesquisas desenterraram um intrigante relato latino das forças reunidas por Saladino em Acre, provavelmente escrito durante o cerco. Caracterizado por uma mistura de conhecimento de qualidade irregular e animosidade, esse documento oferece detalhes precisos das características da tropa e do armamento muçulmanos, entremeados por uma persistente difamação e fantasia. Afirma-se que os árabes "circuncidavam" as orelhas, enquanto os turcos aparentemente eram renomados por se entregarem à homossexualidade e à bestialidade, tudo de acordo com os supostos preceitos de Maomé.

As "regras" informais de envolvimento que gradativamente foram se formando entre esses inimigos entrincheirados por vezes eram transgredidas. Parece ter havido a compreensão de que os que saíam da segurança de seu acampamento para se aliviar não podiam ser atacados. Os cruzados, portanto, ficaram horrorizados quando, certa ocasião, "(um cavaleiro) fazendo o que todos têm que fazer... foi ao chão" quando um turco a cavalo saiu correndo de sua linha de frente para perfurá-lo com sua lança. Totalmente inadvertido do perigo, o cavaleiro foi prevenido no último segundo pelos gritos de "Corra, senhor, corra", provindos das trincheiras. Ele "se levantou com dificuldade... tendo terminado sua necessidade", mal conseguindo esquivar-se do primeiro ataque, para, então, encarando seu inimigo desarmado, derrubar o cavaleiro lançando uma pedra certeira contra ele.[32]

A TORMENTA DA GUERRA

Com a chegada da "suave estação da primavera", a guerra aberta voltou, e a primeira batalha a ser travada foi pelo domínio do mar. No final de março de 1190, pouco depois da Páscoa, chegaram notícias a Acre de que cinquenta navios latinos estavam se aproximando de Tiro. Durante o inverno, Conrado havia concordado com uma reconciliação parcial com Guy, tornando-se o "homem de confiança do rei" em troca de direitos sobre Tiro, Beirute e Sídon. A frota que ele agora comandava em direção sul buscava restabelecer o controle cristão sobre o litoral do Mediterrâneo para reconectar a vida dos cruzados com o mundo exterior. Esta era uma luta que Saladino não admitia perder, talvez por sua esperança de que uma vitória total em Acre dependesse de isolar os sitiantes francos. Ele resolveu resistir aos navios que chegavam a toda a costa, preparando um dos mais espetaculares engajamentos navais do século XII.

A batalha pelo mar

Quando a frota latina apareceu, levada ao longo da costa por um vento norte, cerca de cinquenta dos navios de Saladino saíram do porto de Acre em pares para encontrá-la, ostentando pavilhões verdes e dourados. Os francos possuíam dois tipos principais de navios: galeões "longos, estreitos e baixos", equipados com aríetes e movidos por dois bancos de remos (um abaixo e um no convés); e "galeotas", navios mais curtos, mais manobráveis, com um único banco de remos. À medida que a frota se aproximava, paredes protetoras eram levantadas nos conveses, e os navios cristãos entraram em formação em cunha (V), com os galeões na ponta. Com uma cacofonia de trombetas soando em ambos os lados, as duas forças rumaram uma contra a outra, e a batalha teve início.

O combate marítimo ainda era relativamente rudimentar em 1190. Navios maiores podiam tentar acertar o inimigo com aríetes e afundá-lo, mas, no geral, a luta ocorria com uma distância pequena entre as naves e consistia na troca de projéteis de curta distância e tentativas de puxar os navios inimigos com ganchos para abordá-los. O maior dos horrores, para os marinheiros, era o fogo grego, pois não podia ser apagado com água, e nessa luta os dois lados contavam com esse recurso. A frota muçulmana se aproximou o suficiente para assumir a liderança do combate em várias ocasiões. Um galeão franco foi bombardeado com fogo grego e abordado, fazendo com que seus remadores se lançassem apavorados no mar. Um pequeno número de cavaleiros, atrapalhados pelo peso das armaduras e que, de todo modo, não sabiam nadar, preferiram ficar em seus postos "em total desespero" e conseguiram reassumir o controle do navio meio queimado. No final, nenhum dos lados conseguiu uma vitória arrebatadora, mas a frota muçulmana sofreu o pior, sendo forçada a voltar para o porto de Acre. Um de seus galeões ficou encalhado e foi saqueado, com sua tripulação reunida na praia e sumariamente morta e decapitada por um implacável grupo de mulheres latinas armadas de facas. Num aparte lúgubre, um cruzado mais tarde observou que a "fraqueza física das mulheres prolongou a agonia da morte", pois levou mais tempo para que elas decapitassem seus inimigos.

Esta batalha custou a Saladino o controle do mar pelo resto de 1190. Os cruzados puderam policiar as águas em torno de Acre, encurralando os navios remanescentes do sultão dentro do porto e impedindo todas as tentativas da guarnição da cidade de receber suprimento. Durante os seis meses seguintes, os habitantes de Acre viveram à beira da morte pela fome. No final da primavera, seus suprimentos estavam exauridos, e eles foram forçados a comer "todos seus animais, cascos e entranhas, pescoços e cabeças", expulsando todo prisioneiro velho ou fraco (os jovens foram mantidos para carregar as catapultas). Saladino fez repetidas tentativas de romper o cordão naval, com variados graus de sucesso. Em meados de junho, parte de uma frota de 25 navios conseguiu abrir caminho. No final de agosto, o sultão providenciou um navio de transporte de casco redondo para ser carregado com quatrocentas sacas de trigo, bem como queijo, milho, cebolas e carneiros. Para vencer o bloqueio, a nave saiu de Beirute disfarçada. Sua tripulação estava "vestida como francos, tendo até raspado a barba", enquanto porcos eram colocados no convés em plena vista e cruzes eram alçadas. Os cruzados foram enganados, e o navio passou pelo bloqueio. Mas essas foram vitórias magras, pois a cidade precisava de suprimentos quase constantes. No início de setembro, Qaragush conseguiu enviar uma carta a Saladino, informando que em duas semanas Acre ficaria inteiramente sem comida. O sultão ficou tão alarmado que manteve o segredo sobre isso por medo de que o moral de seu exército fosse abalado. Outros três navios carregados de suprimentos partiram do Egito, mas ventos desfavoráveis retardaram seu avanço. Baha al-Din descreveu como, em 17 de setembro, Saladino se colocou na praia "como uma mãe enlutada... o coração pesado", observando quando eles chegariam a Acre, sabendo muito bem que a cidade cairia se não conseguissem chegar. Depois de uma árdua luta, "os navios chegaram a salvo no porto, sendo recebidos como a chuva depois da seca".[33]

Uma verdadeira graça em meio a todas essas lutas foi que os cruzados nunca conseguiram assumir o controle do porto interno de Acre. Se tivessem conseguido, a posição da guarnição logo ficaria insustentável. No final do verão de 1190, os francos fizeram um esforço concertado para tomar a Torre das Moscas, o forte construído sobre um afloramento rochoso na baía de Acre que controlava a corrente que guardava o porto. Eles fortificaram dois ou três navios, criando elaboradas torres de cerco flutuantes, mas seu assalto falhou quando elas foram queimadas pelo fogo grego.

Com exceção desse ataque, os francos nunca tentaram um assalto naval contra Acre e, na realidade, de sua perspectiva a batalha pelo mar funcionava como uma plataforma e um adendo ao cerco em terra. O acesso ao apoio naval era totalmente indispensável no sentido de que continuava a fornecer aos cruzados reforços, provisões e materiais militares, e o bloqueio de Acre certamente acrescentou um importante elemento de atrito a seu investimento, mas na maior parte de 1190 sua estratégia geral foi baseada na guerra em terra.

A luta em terra

Em terra, o período de lutas recomeçou a sério no final de abril e começo de maio de 1190. Com a primavera, Saladino convocou suas tropas da Síria e da Mesopotâmia. Em 25 de abril, deslocou seu acampamento de volta para a linha de frente em Tell Kaisan, com o apoio do filho al-Afdal. Durante os dois meses seguintes, houve o reforço de destacamentos de locais como Alepo, Harã e Mossul. Ao mesmo tempo, é claro, com o mar aberto o campo cruzado foi mais uma vez inundado por novos recrutas, muitos dos quais faziam parte das primeiras levas dos exércitos dos reis de França e Inglaterra. Dentre eles destacava-se Henrique II de Champagne, conde de Troyes, sobrinho de Ricardo I e de Filipe Augusto. Henrique chegou a Acre em agosto na companhia de seus tios, o conde Teobaldo V de Blois, e Estêvão, conde de Sancerre, juntamente com cerca de dez mil guerreiros, assumindo imediatamente o comando militar do cerco. Um grande contingente de cruzados ingleses chegou no final de setembro, comandados pelo arcebispo Balduíno da Cantuária, o formidável Hubert Walter, bispo de Salisbury, e o tio desse, Ranulfo de Glanville, que já fora um dos conselheiros mais próximos do rei Henrique II da Inglaterra.[34]

Apesar do renovado influxo de cruzados ocidentais, Saladino deveria ter o número de homens para contrabalançar, talvez até para suplantar, os sitiantes cristãos durante o longo período de lutas de 1190. Mas um fator o continha: a vinda dos alemães. Já no outono de 1189, Saladino havia recebido notícias de que o imperador Frederico Barbarroxa estava marchando para a Terra Santa à frente de um quarto de milhão de cruzados – notícias que, de modo não surpreendente, "perturbaram grandemente o sultão e causaram-lhe ansiedade". A ameaça iminente representada pela aguardada chegada dessa horda significou que, de abril a setembro, o sultão não foi capaz de direcionar o poder total de seus recursos militares, nem de focar seu pensamento estratégico, para o problema de Acre. Convencido de que o vasto exército do imperador chegaria pelo sul, através da Síria e do Líbano, como uma onda incontrolável, Saladino tratou de se preparar para uma guerra implacável em duas frentes. Quase no mesmo momento em que as tropas do sultão chegaram a Acre naquela primavera, ele começou a enviá-las para reforçar as defesas do Norte. As cidades do interior receberam ordens de armazenar as colheitas em caso de cerco, enquanto ao longo da costa Saladino julgou que era provável que Latáquia e Beirute não tivessem chance de resistir a Frederico, assim ordenando que suas muralhas fossem arrasadas para impedir que se tornassem baluartes latinos. Essas medidas faziam completo sentido em termos estratégicos – na verdade, Saladino estava louco por ignorar a aproximação de Barbarroxa –, mas também serviram para comprometer os esforços muçulmanos em Acre, ao forçar um total redirecionamento de recursos. Desse modo, mesmo antes de porem o pé no Levante, os alemães fizeram uma contribuição significativa à Terceira Cruzada.³⁵

Enfraquecido e absorto, Saladino teve que adotar uma abordagem grandemente reativa para a defesa de Acre. Ele podia ter esperanças de frustrar a tentativa dos francos de tomar a cidade, mas todos os planos efetivamente feitos para uma tentativa concertada de aniquilar os sitiantes foram mais uma vez postos de lado. Nos primeiros dias de maio, o sultão havia restabelecido uma posição de linha de frente, confinando os cruzados entre seus exércitos e as muralhas de Acre. Isto permitiu a Saladino montar contra-ataques quase instantâneos a qualquer assalto latino à cidade, forçando os cruzados a drenar suas forças, lutando em duas frentes. Nesse ínterim, o sultão buscou manter contato com Qaragush e sua guarnição, mas, com a cidade sujeita a um bloqueio por terra e mar, esta não foi uma tarefa simples. Pombos-correios foram um dos principais meios de comunicação e de um sistema de inteligência que cobria o vasto Império Aiúbida, mas em Acre eles desempenhavam um papel limitado, talvez por serem um alvo fácil demais para os arqueiros inimigos. Assim, Saladino preferiu confiar num grupo de mensageiros astuciosos e corajosos que procurariam nadar até o porto interno de Acre disfarçados pelas trevas e carregando cartas, dinheiro e até frascos de fogo grego selados em sacos de pele de lontra. Era uma tarefa perigosa. Em uma missão, um nadador experiente chamado Isa, que "costumava mergulhar e emergir no lado oposto dos navios inimigos", despareceu, para aparecer afogado no porto alguns dias depois, com sua consignação de mensagens e ouro ainda presos em torno da cintura.³⁶

Na maior parte do ano de 1190, Saladino enfrentou um inimigo animado por um único objetivo – o rompimento das defesas terrestres de Acre. Faltando-lhes um líder universalmente reconhecido (com o poder alternando-se entre o rei Guy, Jaime de Avesnes e Henrique de Champagne), seus ataques pecavam pela falta de resolução, mas, mesmo assim, a ameaça por eles representada era grande. Os francos adotaram uma estratégia de cerco baseada no assalto, procurando vencer as muralhas da cidade por meio de combinação de bombardeio, escalada e solapamento. Tendo construído certo número de catapultas durante o inverno, eles agora deram início a uma barragem quase diária de mísseis de pedra. Essas máquinas parecem ter sido de alcance bastante limitado, incapazes de lançar grandes pedras, de modo que os ataques provavelmente se destinavam tanto a atormentar e ferir a guarnição muçulmana quanto a enfraquecer as muralhas de Acre. É claro que isto não era uma atividade unilateral. Dentro da cidade, Qaragush tinha seu próprio arsenal de armas pesadas com que buscava destruir as máquinas de assédio dos cruzados, frequentemente com grande sucesso. Uma delas parecia ser particularmente grande, capaz de lançar pedras que, com o impacto, se enterravam cerca de trinta centímetros no chão. As muralhas terrestres de Acre eram cercadas por um fosso seco, projetado para travar qualquer assalto terrestre e impedir que as torres de assédio de grande escala fossem arrastadas até as ameias. Os cruzados fizeram árduas tentativas de preencher partes desse fosso com cascalho, muitas vezes sob a cobertura de bombardeios aéreos. A guarnição fez o que pôde para desbaratar esses esforços, despejando flechas sobre os trabalhadores, mas eles estavam determinados. Uma mulher franca, mortalmente ferida enquanto carregava pedras, chegou a pedir que seu corpo fosse atirado no fosso para funcionar como preenchimento. No início de maio de 1190, para horror dos muçulmanos, um caminho para o pé das muralhas havia sido aberto.

O pânico agora começou a se espalhar. Durante semanas, Qaragush e Saladino haviam observado um frenesi de construção no acampamento dos cruzados, com três enormes máquinas de assédio gradativamente se elevando nos ares. Construída com madeira especialmente trazida da Europa, com uma altura de cerca de vinte metros, esses gigantes de três andares e dotados de rodas foram empapados com vinagre para tolher o efeito do fogo e cobertos por uma rede de cordas para amortecer o impacto dos ataques com catapulta. Uma testemunha ocular muçulmana escreveu que, erguendo-se acima das muralhas de Acre, "(elas) pareciam montanhas". Em 2 de maio, o rei Guy, Jaime de Avesnes e Luís da Turíngia preencheram-nas com homens – besteiros e arqueiros no topo, espadachins e lanceiros abaixo – e começaram a levar as máquinas lentamente em direção à cidade. Este terrível espetáculo apavorou os muçulmanos. No acampamento de Saladino "todos entraram em desespero pela cidade e o ânimo dos defensores abateu-se", enquanto dentro de Acre "Qaragush estava fora de si devido ao medo", preparando-se para negociar uma rendição. Um nadador foi rapidamente despachado para avisar o sultão que o colapso era iminente, e Saladino rapidamente lançou um contra-ataque. De maneira simultânea, a guarnição começou a lançar sobre as torres frascos de fogo grego assim que elas se mostravam ao alcance, mas nada disso deteve seu inexorável avanço.

O dia foi salvo por um jovem metalúrgico anônimo de Damasco. Fascinado pelas propriedades do fogo grego, ele desenvolveu uma variante de sua fórmula que prometia queimar com intensidade ainda maior. Qaragush mostrou-se cético, mas acabou por concordar em tentar essa nova invenção, e o metalúrgico "misturou os ingredientes que havia reunido com um pouco de nafta em cubas de cobre, até a mistura parecer um carvão em brasa". Ainda naquele dia, tentativas infrutíferas de usar o fogo grego padrão haviam feito os franceses dançarem e fazerem pilhérias no alto de suas torres, mas quando um pote de barro da nova fórmula as atingiu, eles ficaram em silêncio. "O pote mal havia atingido o alvo quando explodiu em chamas e tudo se transformou numa montanha de fogo", escreveu um observador muçulmano. As duas torres remanescentes logo tiveram destino similar. Os cruzados encurralados nos níveis superiores morreram na conflagração, enquanto os de baixo que conseguiram escapar viram suas grandes máquinas "se transformarem em cinzas". Por enquanto, pelo menos, Acre estava salva.[37]

Nos meses que se seguiram, o domínio superior que os muçulmanos tinham da tecnologia da arma combustível mostrou ser algo decisivo. Em agosto, quando os francos procuraram intensificar seu bombardeio, operando em turnos dia e noite, construindo catapultas cada vez mais poderosas, Qaragush e Abu'l Haija lançaram uma ofensiva salvadora, enviando "especialistas em fogo grego" para queimarem as máquinas do inimigo, matando setenta cavaleiros cristãos na ação. Em setembro, um enorme lançador de pedras, construído sob as ordens de Henrique de Champagne, ao custo de 1.500 dinares de ouro, foi similarmente destruído em questão de minutos. Não é de surpreender que os cruzados tenham desenvolvido um intenso ódio pelo fogo grego. Assim, um infausto emir turco pagou um alto preço quando ficou ferido numa escaramuça junto a uma torre de assédio franca. Ele estava carregando um recipiente com fogo grego, na esperança de destruir o aparelho, mas então um cavaleiro latino "jogou-o no chão, esvaziando o conteúdo do recipiente em suas partes íntimas, de modo que sua genitália foi queimada".[38]

Outras batalhas, mais insidiosas, grassaram naquele verão. O cuidado para manter o moral elevado do exército e a luta para quebrar a determinação do inimigo há muito eram características das guerras medievais quando se tratava de um sítio. E, embora os eventos em Acre não pareçam ter sido marcados por repetidos atos de brutalidade ou barbarismo deliberadamente insensíveis dos dois lados, a guarnição de Qaragush ocasionalmente empregou essas táticas. Os mortos latinos já pendiam das ameias de Acre em novembro de 1189, numa tentativa de enraivecer os cruzados. Agora, em 1190, as tropas muçulmanas ocasionalmente arrastavam cruzes e imagens da veneração cristã ao parapeito para submetê-las à conspurcação pública. Isto envolvia bater nelas com paus, cuspir e até urinar nelas, embora um soldado que tentou essa última ofensa tenha sido morto com uma flechada na virilha por um besteiro franco.

As questões recorrentes em sítios prolongados – a fome e a doença – também lançaram suas sombras sobre Acre em 1190. A fome e a insatisfação parecem ter levado as seções mais pobres do exército cruzado a lançarem um ataque indisciplinado e, em última instância, infrutífero contra o acampamento de Saladino em busca de comida em 25 de julho, ao custo de pelo menos cinco mil vidas. Com seus cadáveres apodrecendo ao calor do verão e grandes enxames de moscas baixando sobre eles e tornando a vida insuportável nos dois lados, a doença inevitavelmente se espalhou pelas planícies de Acre.

Mais uma vez Saladino procurou limpar o campo de batalha atirando os cadáveres dos cristãos no rio, mandando uma horrível mistura de "sangue, corpos e gordura" rio abaixo, em direção aos cruzados. A tática funcionou. Um latino descreveu como "não foi um pequeno número (de cruzados) que morreu logo depois devido ao ar empesteado, poluído com o fedor de corpos, exauridos pelas noites ansiosas passadas em guarda e destroçados por outras adversidades e necessidades". A combinação letal de desnutrição e condições sanitárias atrozes envenenou o campo durante o resto da estação, e a taxa de mortalidade disparou. As perdas entre os pobres foram severas, mas nem os nobres ficaram imunes: Teobaldo de Blois "não sobreviveu mais que três meses", enquanto seu compatriota Estêvão de Sancerre "também morreu sem proteção". Ranulfo de Glanville durou apenas três semanas. Acre estava se tornando rapidamente o cemitério da aristocracia europeia.[39]

O destino da cruzada alemã

Em outra parte do Oriente Próximo, outra morte devia mudar o rumo da cruzada. No final de março de 1190, o imperador Frederico Barbarroxa fez um acordo com os bizantinos e conduziu a cruzada alemã pelo Helesponto (hoje Dardanelos) até a Ásia Menor. Os alemães abriram uma rota sudeste através do território grego, cruzando a Anatólia Turca no final de abril. Lutas internas pelo poder no sultanato seljúcida de Cônia significavam que as tentativas anteriores de Frederico de negociar passagem livre através da Síria tiveram um impacto limitado, e os cruzados logo encontraram uma concertada resistência muçulmana. Apesar da falta de suprimentos, Barbarroxa conseguiu manter a disciplina entre seus homens – fontes muçulmanas afirmam que ele ameaçou cortar a garganta de qualquer cruzado que ousasse desobedecer suas ordens –, e a marcha da coluna alemã continuou avançando. No dia 14 de maio, um grande ataque turco foi repelido, e Frederico avançou para atacar Cônia, ocupando a cidade baixa da capital seljúcida e forçando os turcos a uma submissão temporária.

Com a travessia da Ásia Menor quase completa, Barbarroxa dirigiu-se para o sul, ao longo da costa e do território cristão da Armênia cilícia. A cruzada alemã havia sofrido baixas substanciais em termos de homens e cavalos, mas, no geral, Frederico havia conseguido um notável sucesso, prevalecendo onde os cruzados de 1101 e 1147 haviam fracassado. Então, quando as piores dificuldades pareciam superadas, o desastre aconteceu. Aproximando-se de Silifke em junho de 1190, o imperador decidiu impacientemente vadear o rio Selph à frente de suas tropas. Seu cavalo perdeu o pé no meio da travessia, lançando Frederico no rio – num dia escaldante, a água estava incrivelmente fria e, incapaz de nadar, o imperador alemão se afogou. Seu corpo foi trazido para a margem, mas nada pôde ser feito. O mais poderoso monarca da Europa Ocidental, o mais forte governante a aceitar a cruz, estava morto.

Esse cataclismo não anunciado e inesperado chocou latinos e muçulmanos. Um cronista franco observou que "a cristandade foi muito abalada pela morte (de Frederico)", enquanto, no Iraque, outro contemporâneo alegremente anunciou que "Deus nos livrou do mal por ele representado". Os cruzados alemães foram assolados por uma crise de liderança e moral abatido. O filho mais novo de Barbarroxa, Frederico da Suábia, tentou salvar a expedição. Assumindo o comando, mandou envolver e embalsamar o corpo do imperador, e então conduziu o grupo para o norte da Síria. Mas, no caminho, "a doença e a morte caíram sobre eles (deixando-os) parecidos com alguém que tivesse sido exumado do túmulo". Milhares morreram, enquanto outros desertaram. Em Antioquia, parte dos restos de Barbarroxa foi enterrada na Basílica de São Pedro, junto ao sítio da descoberta da Santa Lança; seus ossos foram então fervidos e colocados num saco, na esperança de que pudessem encontrar repouso em Jerusalém (na verdade, foram por fim enterrados na Igreja de Santa Maria, em Tiro). Frederico da Suábia desceu claudicando a costa da Síria com o que sobrara do exército alemão, enfrentado ataques das tropas aiúbidas estacionadas ao norte.[40]

Não se sabe com precisão quando a notícia da morte de Barbarroxa chegou a Saladino – segundo Baha al-Din, ele foi informado do fato por uma carta de Basílio de Ani, chefe da Igreja Cristã Armênia, mas nenhuma data é mencionada. A novidade foi certamente celebrada entre os muçulmanos. Um cruzado escreveu que "dentro de Acre... houve danças e o toque de tambores", e lembrou que membros da guarnição aiúbida escalaram alegremente as ameias para gritar muitas vezes, em voz alta: "Seu imperador se afogou". Contudo, o sultão ainda estava despachando tropas para defender a Síria até 14 de julho de 1190, e a força total de seus exércitos só foi reagrupada em Acre no início do outono. Assim, embora a morte de Barbarroxa tenha aleijado a cruzada alemã, Saladino perdeu recursos militares vitais naquele verão. Frederico da Suábia por fim chegou a Acre no início de outubro de 1190, na companhia de, talvez, cinco mil soldados. Saladino parece ter esperado que, apesar de suas baixas, a chegada dos alemães revigorasse o cerco cruzado, mas, em termos reais, ela pouco fez para o progresso da causa franca.[41]

EMPATE

Num certo sentido, as lutas de 1190 tinham sido um sucesso para Saladino. Acre tinha repelido todos os assaltos latinos, com sua guarnição replicando o artifício da tecnologia militar experimental dos francos. O sultão conseguira, embora com certa dificuldade, manter os canais de comunicação e suprimento da cidade, enquanto posicionava suas tropas para acossar e inquietar os cruzados. Depois de doze meses de investida, a cidade ainda se mantinha imbatível. Não obstante, num sentido mais amplo, Saladino havia fracassado. Forçado a usar seus recursos militares para enfrentar a ameaça da cruzada alemã, faltaram-lhe os homens para tomar a iniciativa em Acre. Com exércitos com sua força total, naquele verão ele poderia ter arriscado um assalto frontal concertado contra as posições francas e expulsado os cruzados da Palestina. Mas quando suas tropas se reagruparam em Acre no início de outubro, Saladino parece ter decidido que, pelo menos por ora, a oportunidade da intervenção decisiva havia passado. Isso, combinado com a ocorrência de uma "febre biliosa", levou-o a deslocar seu exército de volta para um distante acampamento de inverno em Saffaram (cerca de dezesseis quilômetros a sudeste de Acre) em meados de outubro, efetivamente pondo um fim à temporada de lutas. Com sua confiança evidentemente abalada, ele ordenou a demolição de Cesareia, Arsuf e Jafa – os principais portos ao sul de Acre –, e até ordenou o desmantelamento das muralhas de Tiberíades. Nos meses que se seguiram, Saladino enfrentou uma luta constante para manter suas forças em campo. Alguns chefes militares, como os senhores de Jazirat e Sinjar, repetidamente solicitavam a devolução de suas terras; outros, como Keukburi, foram despachados para supervisionar a governança dos interesses negligenciados do sultão na Mesopotâmia e foram perdidos para a *jihad*.[42]

Ao retroceder da linha de frente, como fizera um ano antes, Saladino contava com os contratempos naturais para enfraquecer o inimigo, esperando para ver se os cruzados sobreviveriam a um segundo inverno rigoroso acampados fora de Acre. Logo a mudança de estação começou a incomodar. Como em 1189, o fim do outono anunciou o fechamento das rotas marítimas de longa distância e o efetivo isolamento do exército franco. Em novembro, os suprimentos dos cruzados já estavam escasseando, forçando-os a tentar uma expedição para recolher alimento ao sul, na direção de Haifa, que foi obrigada a voltar apenas dois dias depois.

Provações

No final de novembro, Saladino finalmente dispensou o exército para o inverno, mais uma vez ficando pessoalmente com apenas uma pequena força para vigiar Acre, enquanto o "mar se encapelava (e as chuvas) se tornavam pesadas e incessantes". Do ponto de vista dos muçulmanos, os meses que se seguiram mostraram-se muito mais rigorosos e desafiadores que o inverno de 1189. A guarnição da cidade estava titubeante, enquanto Saladino e seus homens mostravam-se exaustos e de mau humor. Com as linhas de suprimento intermitentes, havia uma escassez generalizada de comida e armas, bem como pouquíssimos médicos disponíveis para lidar com os frequentes surtos de doenças. "O Islã lhe pede ajuda", escreveu o sultão em uma carta suplicante ao califa, "como um homem que se afoga e grita por socorro". E, contudo, esses problemas não eram mais que um pálido reflexo dos tormentos enfrentados pelos cruzados. Uma testemunha ocular muçulmana admitiu isso, escrevendo que devido "à planície (de Acre) ter-se tornado muito insalubre" e "o mar estar fechados para eles", houve "uma grande mortandade entre o inimigo", com cem a duzentos homens perecendo a cada dia.

O sofrimento dos latinos pode ter sido óbvio para os espectadores, mas a vista que se tinha dentro do acampamento cristão era ainda mais angustiante. Isolados do mundo exterior, os estoques de comida dos cruzados simplesmente se esgotaram. No final de dezembro, as pessoas começaram a esfolar "bons cavalos", comendo-lhes a carne e as entranhas com apetite. À medida que a fome se intensificava, um cruzado escreveu que havia "os que haviam perdido o senso de vergonha devido à fome, os (que), à vista de todos, comiam a comida abominável que calhavam de achar, por mais suja que fosse, coisas que nem deveriam ser mencionadas. Suas bocas tenebrosas devoravam o que não é permitido que os humanos comam, como se fosse uma coisa deliciosa". Isto pode ser uma indicação de que houve casos de canibalismo.

Enfraquecidos pela fome, os francos tornaram-se vítimas de doenças como o escorbuto e a boca de trincheira:

> Uma doença se espalhou pelo exército... resultado das chuvas que caíam como nunca, de modo que todo o exército ficou meio afogado. Todos tossiam e estavam roucos; suas pernas e rostos se incharam. Num único dia morreram mil (homens); seus rostos estavam tão inchados que os dentes lhes caíam das bocas.

A mortandade atingiu uma escala nunca vista desde o cerco de Antioquia, durante a Primeira Cruzada. Milhares morreram, entre eles potentados como o arcebispo Balduíno da Cantuária, Teobaldo de Blois e até Frederico da Suábia. Um cruzado comentou que "não existe raiva como a provocada pela fome", observando que, em meio a esse horror, a raiva e o desespero provocavam a perda da fé e a deserção. "Muitos dos nossos foram até os turcos e se tornaram renegados", escreveu ele; "eles negaram (o Cristo), a Cruz e o batismo – tudo". Recebendo esses apóstatas, Saladino deve ter esperado que o cerco de Acre logo fracassasse.

Mas os cruzados ainda resistiam. Alguns passaram a comer grama e ervas "como animais", outros começaram a comer as desconhecidas alfarrobas, nativas da região, que eles achavam "doce ao paladar". Hubert Walter, bispo de Salisbury, desempenhou um papel importante na manutenção de uma certa aparência de ordem ao acampamento atingido pelo caos, organizando coletas entre os ricos para que o alimento pudesse ser distribuído aos pobres. Quando vários cruzados famintos pecaram ao comer o pouco de carne que conseguiram durante a Quaresma, Hubert impôs-lhes uma penitência – três golpes nas costas com um bastão, administrados pelo próprio bispo, "mas não golpes pesados", pois ele os "castigava como um pai". Por fim, no final de fevereiro ou começo de março, o primeiro pequeno navio cristão de suprimentos, trazendo grãos, chegou ao acampamento, para ser saudado com uma grande celebração, e com a primavera a crise de suprimentos teve um fim. Tendo passado por uma tempestade de morte e miséria, os francos ainda estavam junto a Acre.[43]

Para o Islã, a tenacidade dos cruzados significava um desastre. Como havia feito um ano antes, Saladino procurou usar o inverno para fortalecer Acre, mas desta vez seus esforços obtiveram menor sucesso. Al-Adil foi enviado para organizar um depósito de suprimentos em Haifa, que podiam ser enviados do Egito, subindo a costa até a guarnição. Em 31 de dezembro de 1190, sete navios completamente carregados chegaram ao porto de Acre, mas se despedaçaram contra as rochas e afundaram devido ao mar traiçoeiro. Comida, armas e dinheiro que podiam ter sustentado a cidade durante meses foram perdidos. Então, em 5 de janeiro de 1191, uma intensa tempestade fez com que uma parte da muralha exterior de Acre desmoronasse, repentinamente expondo a cidade ao ataque. Atormentados pela fome e a doença, os cruzados não estavam em condições de tirar proveito dessa oportunidade, e os homens de Saladino apressaram-se em restaurar a muralha, mas as perspectivas do Islã eram sombrias. Com crescente apreensão, o sultão procurou reorganizar as defesas de Acre. Abu'l Haija, o Gordo, foi dispensado do comando militar do porto em 13 de fevereiro, sendo substituído por al-Mashtub, embora Qaragush tenha sido mantido em seu posto de governador. As tropas exauridas da guarnição também foram substituídas, mas o secretário de Saladino, Imad al-Din, mais tarde criticou essa medida, observando que uma força de 20 mil homens e sessenta emires foi trocada por apenas vinte emires e muito menos tropas, pois Saladino esforçava-se por conseguir voluntários que desejassem servir na cidade.

A frustração do sultão fica aparente em uma carta enviada ao califa naquele mesmo mês, em que ele adverte que o papa poderia estar vindo comandar os cruzados e lamentou o fato de que, quando as tropas muçulmanas chegaram a Acre dos confins do Oriente Próximo, a primeira pergunta de seu comandante tenha sido quando eles poderiam partir. Ao mesmo tempo, as muitas pressões para manter seu enorme reino enquanto estava preso na luta em Acre começaram a pesar. Em março, Saladino, relutantemente, assentiu às repetidas demandas de Tagi al-Din para ser nomeado governante das cidades nordestinas de Harã e Edessa. Embora o sultão não pudesse exatamente deixar que seu sobrinho saísse da *jihad*, precisava garantir o controle sobre o Eufrates superior ou se arriscar a desmembrar seu império.[44]

Em abril de 1191, as perspectivas de Saladino, assim como as de Acre, pareciam quase desesperançadas. Por um ano e meio o sultão tinha sido imobilizado pelo sítio da cidade pelos cruzados, incapaz de consolidar completamente suas vitórias de 1187, limitado por uma estratégia de defesa reativa. Ele buscara reverter a onda de vingança que se estendeu da

Europa Ocidental até as praias da Palestina e fracassara. A morte súbita de Frederico Barbarroxa, em junho de 1190, tinha sido extraordinariamente providencial, mas em Acre Saladino tivera menos sorte, enfrentando um inimigo franco aparentemente indomável. A cidade estava se aguentando, e o mesmo ocorria com o cerco latino. Contidos, mas não vencidos, os cruzados haviam obtido um surpreendente feito militar: a manutenção de um cerco bem no interior do território inimigo, enquanto enfrentavam um exército opositor no campo de batalha.

Num aspecto importante, o modo com que Saladino lidou com a luta titânica fora de Acre foi louvável. Pela primeira vez na guerra pela Terra Santa, ele se recusara a se retirar de um prolongado e enraizado confronto militar, mostrando uma obstinada determinação durante um ano e meio e dois invernos rigorosos. Contudo, apesar de todos os obstáculos enfrentados, a inabilidade do sultão em esmagar os cristãos entre 1189 e 1191 deve ser severamente criticada. Pois ele sabia que todo o poderio franco concentrado em Acre e toda a força das armas lançada contra suas muralhas eram apenas tremores antes do terremoto que ocorreria com a chegada dos reis da Inglaterra e da França. Ainda assim, faltaram a Saladino a vontade e a visão para agir. Agora, com o portão para a Terra Santa escancarado, o Islã teria que enfrentar a força total do ódio cruzado da cristandade latina.

15. A CHEGADA DOS REIS

Descendo a costa da Palestina na manhã do sábado de 8 de junho de 1191, o rei Ricardo I da Inglaterra teve um primeiro vislumbre do terrível espetáculo que era o cerco de Acre. As torres e muralhas da cidade apareceram; depois surgiu o enxame de dezenas de milhares de cruzados, saídos de "toda nação cristã debaixo do céu", "a flor do mundo", cercando sua presa. Por fim, "ele viu as encostas das montanhas, os vales e as planícies, cobertos de tendas turcas e de homens que tinham em seu coração o objetivo de agredir a cristandade", com Saladino no meio deles. Longos três anos e meio depois de assumir a cruz, Ricardo havia finalmente chegado à Terra Santa. Os francos saudaram seu aparecimento com ruidosa celebração. Um membro do exército escreveu sobre as festividades que se seguiram naquela noite:

> Grande era a alegria, a noite estava clara. Não creio que nenhum homem tenha visto ou falado de tamanha exaltação quanto a do exército expressando-se pela presença do rei. Sinos e trombetas todos soaram. Belas canções e baladas foram cantadas. Todos estavam cheios de esperança. Tantas luzes e velas (foram acesas) que pareceu aos turcos do exército oponente que o vale todo estava em chamas.

No acampamento de Saladino, um dos conselheiros do sultão registrou que "o maldito rei da Inglaterra chegou (com) grande pompa, (à frente) de 25 galeões cheios de homens, armas e suprimentos... ele era sábio e experimente, e sua vinda teve um impacto terrível e assustador nos corações dos muçulmanos". O Coração de Leão havia chegado.[45]

VIAJANDO PARA A TERRA SANTA

Ricardo tinha obtido uma notável vitória antes mesmo de alcançar o Oriente Próximo. Os exércitos cruzados da França e da Inglaterra partiram da Sicília na primavera de 1191. Filipe II Augusto deixou Messina no dia 20 de março e chegou ao Levante um mês depois. Ricardo I, nesse ínterim, partiu para Creta em 10 de abril com uma frota que crescera e incluía mais de duzentos navios. Mas depois de três dias uma tempestade tirou do curso cerca de 25 desses navios, levando-os para Chipre – uma ilha governada desde 1184 pelo bizantino Isaac Comneno como território grego independente. Uma dessas naves levava a irmã do Coração de Leão, Joana, e sua noiva Berengária. Três navios naufragaram perto de Chipre, e os que conseguiram chegar a terra foram maltratados pela população local. Também foi feita uma tentativa de aprisionar as duas princesas latinas enquanto estavam ancoradas perto de Limassol, na costa sul.

Depois de chegar a Rodes por volta de 22 de abril, o rei Ricardo soube desses fatos e decidiu lançar um imediato ataque naval a Chipre, a despeito de sua condição de político cristão e seu papel como cruzado. Assim, fez um ousado desembarque em Limassol em 5 de maio e prontamente rechaçou as tropas de Isaac, forçando os gregos a se retirarem para Famagusta, na costa leste. Durante a trégua que se seguiu, Ricardo e Berengária se casaram na capela de São Jorge em Limassol, no dia 12 de maio.

Isaac então fez alguns pouco convincentes acenos de paz, mas Ricardo por fim partiu para Famagusta, derrotou os gregos em batalha uma segunda vez e tratou de subjugar a ilha inteira com notável eficiência. Isaac rendeu-se no dia 1º de junho e foi prontamente preso com algemas de prata especialmente encomendadas (o Coração de Leão havia prometido que não o colocaria a ferros).

Assim, Ricardo começou sua campanha cruzada com uma grande vitória, embora contra um território igualmente cristão. A conquista de Chipre permitiu que o exército angevino recebesse um enorme fluxo de riqueza e recursos. O rei cobrou um imposto de 50% da população cipriota e, então, algumas semanas depois de sua partida, vendeu a ilha para os templários por 100 mil bizâncios de ouro (embora só tenha conseguido receber o pagamento inicial de 40 mil). A ilha também serviu como ponto de apoio decisivo ao longo da cruzada. Em longo prazo, a ocupação latina de Chipre se revelaria de profunda importância para a história futura das cruzadas e dos Estados cruzados.

Em meio a essa campanha, o rei inglês recebeu um embaixador de Guy de Lusignan. O Coração de Leão, como conde de Poitou, era o senhor feudal da dinastia de Lusignan e Guy agora procurava tirar proveito dessa ligação, suplicando a Ricardo que lhe desse apoio na luta pelo poder contra Conrado de Montferrat. Também começaram a chegar notícias da Palestina, insinuando que Filipe Augusto estava fazendo um progresso efetivo em Acre. De acordo com um cruzado, "quando o rei (angevino) ouviu isso, deu um grande e profundo suspiro, (e disse) 'Deus não permita que Acre seja conquistada em minha ausência'". Incitado à ação, o Coração de Leão partiu de Chipre em 5 de junho de 1191 e, ao desembarcar na Síria, mandou aprisionar Comneno no castelo dos hospitalários em Margab. Ricardo foi para o sul, mas a guarnição de Conrado de Montferrat recusou-lhe entrada em Tiro; assim ele partiu e chegou a Acre em 8 de junho.[46]

O IMPACTO DOS REIS

A chegada de Ricardo Coração de Leão, juntamente com a de Filipe Augusto, transformou as expectativas dos latinos. A chegada desses dois monarcas revitalizou a cruzada, trazendo novo vigor e determinação à investida contra Acre, suprindo uma poderosa injeção de recursos – financeiros, humanos e materiais – que prometiam levar esse cerco ferozmente disputado a um final vitorioso.

A chegada de Filipe Augusto

Num certo sentido, os boatos que Ricardo ouviu em Chipre estavam certos: o rei Filipe havia feito um progresso significativo em Acre desde sua chegada em 20 de abril de 1191. Observando que ele chegara à cidade com uma frota modesta de apenas seis navios, Baha al-Din admitiu que o monarca franco era "um grande homem e um líder respeitado, um de seus grandes reis ao qual todos os pertencentes ao exército deveriam prestar obediência". Ele chegou com boa parte dos poderosos remanescentes da nobreza francesa; homens como o cruzado veterano conde Filipe de

Flandres (que sobreviveu apenas até 1º de junho) e o orgulhoso e poderoso conde Hugo da Borgonha. Embora escritores contemporâneos partidários do Coração de Leão tendessem a subestimar as realizações do rei franco em Acre, na realidade Filipe fez sentir sua presença imediatamente, trabalhando para intensificar a pressão militar sobre a guarnição na cidade, enquanto consolidava a posição franca.

Tendo "ordenado a seus besteiros e arqueiros que atirassem continuamente, de modo que ninguém pudesse mostrar um dedo acima das muralhas da cidade", o rei supervisionou a construção de sete enormes máquinas de atirar pedras e fortaleceu a paliçada que cercava as trincheiras dos cruzados. Em 30 de maio, com suas catapultas prontas para a ação, Filipe iniciou uma resoluta campanha de bombardeios de tal intensidade que "as pedras choviam sobre (Acre) dia e noite", forçando Saladino a movimentar suas tropas de volta à linha de frente. Chegando a Tell al-Ayyadiya em 5 de junho, o sultão lançou ataques diários às trincheiras latinas, esperando interromper sua ofensiva aérea, mas nada parece ter detido as máquinas de assédio francesas. Ao mesmo tempo, os cruzados preparavam-se para um ataque frontal por terra, fazendo renovadas tentativas de preencher partes do fosso seco de Acre para ter acesso às muralhas. Com os francos atirando cavalos mortos e até restos mortais humanos dentro do fosso, a guarnição muçulmana ficou com a desesperada tarefa de tentar esvaziá-lo mais rapidamente do que os latinos conseguiam enchê-lo. Uma testemunha muçulmana descreveu como os defensores foram separados em três grupos: um "descendo até o fosso e cortando cadáveres e cavalos para ficar mais fácil carregá-los", outro transportando esse lúgubre fardo até o mar e um terceiro na defesa contra o ataque cristão. Afirmou-se que "nenhum homem forte de coração poderia suportar" um trabalho tão pavoroso, "e, contudo, eles o estavam fazendo", pelo menos por ora. Um quase contemporâneo pró-franco mais tarde observou que, com o crescente entusiasmo por um assalto franco, o rei Filipe "poderia facilmente ter tomado a cidade se quisesse", mas preferiu esperar a chegada de Ricardo para que ambos pudessem compartilhar a vitória. Isso pode ter sido um exagero, há de se duvidar de que Filipe realmente tenha demonstrado tamanha indulgência, mas é muito fácil, em meio ao brilho da lenda do Coração de Leão, esquecer que era o monarca capetíngio, e não o angevino, que trouxe uma nova e revigorante vida para Terceira Cruzada.[47]

O Coração de Leão em Acre

Mesmo assim, a grandiosa e triunfal chegada de Ricardo a Acre em 8 de junho realmente serviu para deslocar o equilíbrio do poderio militar em favor dos latinos. Comparando os dois monarcas cristãos, uma testemunha ocular muçulmana observou: "(O rei inglês) tinha muita experiência de luta e era intrépido em batalha, e, contudo, aos olhos deles era inferior ao rei da França em status real, embora fosse mais rico e mais renomado por sua habilidade militar e por sua coragem". O Coração de Leão chegou ao Oriente Próximo com muitos dos mais poderosos nobres da Inglaterra e da Normandia, tais como Roberto IV, conde de Leicester, e Rogério de Tosny – homens que possuíam grandes propriedades dos dois lados do Canal da Mancha. Ele também se fazia acompanhar por um círculo íntimo de *familiares*, ou cavaleiros da família – guerreiros impetuosamente leais, como André de Chauvigny.[48]

Ricardo chegou à Terra Santa com mais homens, reservas financeiras e frota muito maiores do que o rei Filipe. Na verdade, à frente dos 25 navios de sua frota, o monarca inglês conseguiu seu primeiro sucesso militar contra Saladino antes mesmo de pôr o pé no Levante. Partindo de Tiro e se dirigindo para o sul, a caminho de Acre, Ricardo cruzou com um grande navio muçulmano de suprimentos na região de Sídon. Esse navio tinha saído de Beirute, em poder dos aiúbidas, levando sete emires, setecentos homens de uma tropa de elite, comida, armas e muitos frascos de fogo grego, bem como duzentas "cobras muito mortais", que "(os muçulmanos) pretendiam soltar em meio ao exército (cristão)". Com uma diminuição do vento, Ricardo conseguiu alcançar essa embarcação e, vendo que sua tripulação tentava se passar por franca, lançou um ataque. Encontrando feroz resistência, incapaz de abordar e capturar o navio intacto, Ricardo apelou para o aríete e o afundou para garantir que sua preciosa carga nunca chegasse ao inimigo. Para aproveitar ao máximo o efeito desmoralizante dessa derrota, um único prisioneiro foi depois mutilado e enviado para Acre levando a notícia do desastre.

Ao chegar ao cerco, Ricardo montou seu acampamento ao norte da cidade, já que Filipe se colocara na posição leste. O Coração de Leão imediatamente tratou de verificar "como a cidade poderia ser tomada no menor tempo possível", ou seja, que artimanha e que máquinas de assédio deveriam ser empregadas. Mas quando estava se preparando para a guerra, apenas uma semana depois de ter posto os pés na Terra Santa, o rei foi abatido pela doença. Em notável contraste com seu triunfo naval e a majestade de sua chegada, Ricardo repentinamente se viu confinado em sua tenda durante dias devido a uma doença semelhante ao escorbuto chamada de *arnaldia* por seus contemporâneos; logo seus dentes e unhas começaram a ficar moles e chumaços de cabelo começaram a cair. A humilhação deve ter sido difícil de aguentar, em especial porque podia ser facilmente interpretada como sinal do desfavor divino. No acampamento de Saladino, o sofrimento do rei foi visto como uma bênção, pois "desencorajou (os francos) de fazerem seus ataques". Contudo, mesmo enfermo, Ricardo provou ser capaz de levar adiante a causa dos cruzados.[49]

Exibindo uma sutileza que parecia negar sua reputação de áspera belicosidade, o monarca inglês se pôs imediatamente a abrir canais diplomáticos de comunicação com Saladino. A experiência no Ocidente havia ensinado ao Coração de Leão que, no mundo medieval, a vitória brindava os que sabiam harmonizar as disciplinas da política e da guerra. Ele não mostrou absolutamente nenhum pejo ao empregar a negociação como arma na luta contra o suposto "infiel", embora, ao menos por ora, esses contatos fossem mantidos ocultos do exército cruzado. Ricardo começou, mesmo antes do início de sua doença, a buscar um encontro pessoal com Saladino. Um enviado foi despachado para solicitar uma negociação, mas o sultão respondeu com uma negativa cortês, porém firme: "Os reis não se reúnem, a menos que um acordo tenha sido alcançado", teria ele respondido; "não é bom que eles lutem depois de ter se encontrado e comido juntos".

Ricardo logo voltou à carga com uma proposta de troca de presentes e, no dia 1º de julho, libertou um norte-africano "que eles tinham capturado há muito tempo" como sinal de boa vontade. Pouco depois, Saladino recebeu a visita de três enviados angevinos solicitando "fruta e sorvete" para seu rei. Ricardo parece ter sentido prazer em pedir essas guloseimas, possivelmente como parte de um enganoso jogo diplomático, talvez para avaliar até que ponto poderia levar os limites da hospitalidade, mas também porque simplesmente parecia ter desenvolvido um gosto pelas coisas finas do Oriente, notoriamente por pêssegos e peras. Saladino, também um arguto praticante das artes diplomáticas, levou os três francos para uma volta no mercado de seu acampamento para que pudessem se surpreender com sua espetacular quantidade de lojas, banhos e mercadorias. Baha al-Din, que como parte do círculo íntimo de Saladino estava a par desses primeiros contatos, observou sobriamente que esses embaixadores na verdade estavam em missão de espionagem, destinada a sondar o nível do moral muçulmano, e que foram aceitos para se obter a mesma informação do inimigo. Ricardo não estava sozinho na busca por uma negociação com o Islã em Acre. Filipe Augusto manteve suas próprias conversas particulares com os comandantes da guarnição da cidade, embora também tivessem sido de pouca substância. Mas o próprio fato de dois reis competirem no campo da diplomacia sugeria que a enraizada rivalidade que tanto retardara sua chegada à Terra Santa ainda fervilhava.[50]

Rivalidade ou união?

Os sinais iniciais da chegada de Ricardo a Acre sugeriam que a unidade de propósito poderia superar a discórdia. Filipe foi pessoalmente saudar o Coração de Leão quando este desembarcou, com os dois monarcas "mostrando um ao outro todo respeito e deferência". O rei franco chegou a disfarçar sua raiva devido ao casamento de Ricardo com Berengária, a última confirmação da rejeição de sua irmã. Ricardo tratou de provar que sua riqueza excedia a de seu colega franco, oferecendo quatro besantes de ouro por mês para "qualquer cavaleiro, de qualquer país, que desejasse aceitar sua oferta", depois de Filipe ter oferecido apenas três. Isso pode ter beirado a pura vontade arrogante de se mostrar melhor que os outros, mas teve o efeito prático de ampliar ainda mais o contingente do exército do Coração de Leão, assim assegurando que ele mantivesse o equilíbrio do poderio militar entre os cruzados.[51]

A espinhosa questão do futuro político do reino de Jerusalém também serviu para perpetuar a rivalidade entre angevinos e capetíngios. Desde sua desastrosa derrota e captura em Hattin em 1187, o direito ao trono de Jerusalém de Guy de Lusignan ficou aberto a contestação. Conrado, marquês de Montferrat, bravo defensor de Tiro, salvador do Oriente latino, a muitos parecia a escolha natural para o trono. Quando Conrado recusou o acesso de Guy a Tiro, depois da libertação do rei de seu cativeiro, a disputa passou para campo aberto. A crise então se aprofundou no início do outono de 1190, quando a rainha Sibila (a irmã de Balduíno IV) e suas duas filhas menores sucumbiram à doença enquanto estavam no acampamento cruzado em Acre. Suas mortes foram um duro golpe para a segurança política de Guy, pois eliminaram sua única ligação de sangue com o trono de Jerusalém. Com a legalidade do direito de Guy à coroa agora aberta ao questionamento, boa parte da nobreza sobrevivente do reino latino decidiu apoiar Conrado.

Em novembro de 1190, uma solução política um tanto abjeta foi engendrada. A linha sanguínea do trono de Jerusalém agora recaiu sobre Isabel, a bela irmã mais jovem de Sibila, de modo que uma coalizão dos inimigos de Guy arranjou seu casamento com Conrado. Havia poucos detalhes a serem acertados antes que essa união fosse realizada. Dizia-se que, no mínimo, uma das duas esposas anteriores de Conrado ainda estava viva em algum lugar do Ocidente. E, o que era pior, Isabel já tinha marido: Hunfredo de Toron. Na verdade, o casal estava acampado entre os cruzados junto a Acre. Raptada de sua tenda e intimidada por sua mãe, Maria Comnena, a fim de aceitar uma anulação dúbia, Isabel finalmente concordou em se casar com Conrado. Décadas depois, uma comissão papal condenaria esse casamento como bígamo e incestuoso (pois a irmã de Isabel tinha sido casada com o irmão de Conrado), mas de momento a necessidade de uma forte liderança militar suplantava as sutilezas da lei. Conrado evitou ser coroado com Isabel diante de Guy, preferindo retirar-se para Tiro e deixando a autoridade "real" em frangalhos.

No verão de 1191, o caso todo precisava desesperadamente de uma solução. Sem surpreender ninguém, Ricardo e Filipe terminaram por apoiar diferentes campos. Como conde de Poitou, o Coração de Leão era suserano da família Lusignan, de modo que se esperava que Ricardo tenderia a apoiar Guy, fato confirmado quando este último chegou a Chipre em maio, suplicando o apoio do rei antes de ele chegar a Acre. Nesse ínterim, Filipe promovia os interesses de seu parente Conrado, que agora voltara ao cerco. Diante de Acre, em 7 de maio de 1191, o rei franco foi cossignatário de uma carta-patente – comprando o apoio dos venezianos em troca de privilégios comerciais – em que Conrado audaciosamente se intitulava "rei eleito". Com os genoveses já aliados aos franceses e os habitantes de Pisa comprados por Ricardo, uma complexa teia de facções que se sobrepunham e de disputas inter-relacionadas parecia dividir a Terceira Cruzada. E, contudo, as chamas de um conflito aberto nunca arderam de verdade. Com o apoio de Ricardo, Godofredo de Lusignan acusou Conrado de traição no final de junho, mas o marquês preferiu fugir para Tiro diante de uma possível prisão, e a disputa, por ora, foi deixada de lado.[52]

Na verdade, a despeito da tensão e da má vontade manifestas entre Ricardo e Filipe, eles conseguiram estabelecer uma cooperação suficiente, ainda que relutante, para garantir que houvesse progresso na frente militar. Durante todo o mês de junho e início de julho de 1191, as tropas angevinas e capetíngias coordenaram e alternaram seus ataques – uma força mantendo as trincheiras contra Saladino enquanto a outra atacava a cidade. No final de junho, Filipe ficou impaciente com a protelação causada pela continuada doença de Ricardo e decidiu preparar seu próprio assalto frontal a Acre, um ataque que teve pouco sucesso. Mas mesmo nessa ocasião, os aliados de Ricardo ajudaram a defender o acampamento cruzado, com Godofredo de Lusignan matando sozinho dez muçulmanos com seu machado de batalha.

A estratégia de cerco dos cruzados

Com cerca de 25 mil cruzados estacionados em torno de Acre no início do verão de 1191, Ricardo e Filipe implementaram uma estratégia de cerco baseada no assalto relativamente coerente e coordenado. Equipes de sapadores foram posicionadas para escavar minas sob as muralhas da cidade na esperança de pôr abaixo suas ameias, e também foram feitas tentativas intermitentes de atacar as muralhas de Acre pelo assalto direto. Ao longo de todo o mês de junho, contudo, o plano de batalha dos dois monarcas centrou-se no uso de incessantes bombardeios aéreos para despedaçar as defesas físicas de Acre e a resistência psicológica de sua guarnição. Juntos, os reis circundaram a cidade com um poderoso arsenal de catapultas atiradoras de pedras. Uma força tão terrível e destruidora nunca tinha sido testemunhada no conflito cruzado, e a campanha de Acre marcou uma espécie de mudança na prática de guerra de cerco.

É claro que o bombardeio tinha sido marca dos cercos nessas guerras santas desde o início, com atacantes e defensores usando vários tipos de máquinas de lançar pedras. Até agora, contudo, a relativa fraqueza dessas máquinas tinha limitado o tamanho e o peso dos projéteis que podiam ser lançados e seu alcance efetivo. Os sitiantes, assim, podiam usar a catapulta de fogo para ferir e desmoralizar uma guarnição inimiga, mas normalmente havia pouca expectativa de que apenas o bombardeio pudesse demolir as muralhas ou as torres de um alvo bem fortificado. Ricardo I (talvez também Filipe Augusto) parece ter trazido formas mais avançadas da tecnologia de catapultas para serem usadas durante o cerco de Acre, empregando máquinas capazes de lançar projéteis maiores, a uma distância maior e com mais precisão. O tempo maior de ataque aéreo estabelecido por Filipe foi intensificado depois da chegada de Ricardo, com mais e mais seções da cidade sofrendo bombardeio quase contínuo. Os cruzados haviam batizado a catapulta francesa mais poderosa de "Mal Voisine", ou "Vizinha Ruim", e apelidaram a lançadora de pedras muçulmana que a tinha por alvo em seu contrabombardeio de "Mal Cousine", ou "Prima Ruim". Repetidas vezes, a guarnição de Ace conseguiu danificar a "Vizinha Ruim", mas Filipe simplesmente mandou reconstruí-la, concentrando seu fogo na Torre Amaldiçoada, no canto nordeste da cidade. Os francos pagaram por outra máquina, chamada de "A catapulta de Deus", com um fundo comunitário – "um padre, um homem de grande probidade, sempre ficava junto dela", observou um contemporâneo, "pregando e recolhendo dinheiro para o seu contínuo reparo e para contratar pessoal para juntar pedras, sua munição". Entre os atiradores de pedras operados pelos homens de Ricardo havia duas máquinas recém-construídas "feitas com habilidade e materiais tão notáveis" que podiam lançar as enormes pedras que o rei havia trazido de Messina. Dizia-se entre os francos que um único desses mísseis matou doze dos homens de Acre e, mais tarde, foi enviado para ser inspecionado por Saladino, mas isso soa mais como falatório para elevar o moral do acampamento, não tendo sido confirmado por testemunhos muçulmanos. Outra das máquinas do Coração de Leão possuía tamanho poderio que conseguiu lançar um míssil no coração da cidade, no Beco dos Açougueiros, uma rua que aparentemente levava ao porto.[53]

No final de junho, a força dessa intensa ofensiva cruzada estava começando a dar o que falar. No acampamento de Saladino, um observador notou que o "constante bombardeio das muralhas da cidade" pelos francos significava que as fortificações começaram a "tremer" e os cruzados podiam ver que "balançavam". "Os defensores da cidade", escreveu ele, "haviam ficado muito fracos, e o laço em torno deles começava a apertar". A falta de soldados dentro de Acre significava que não podiam ser revezados ou ter folga numa base regular, e a maioria ficava sem dormir por dias e noites. Começaram a chegar mensagens ao acampamento do sultão avisando que a guarnição, exaurida pela luta constante, estava titubeando.

Saladino fez o que pôde para aliviar a pressão, lançando contra-ataques regulares sobre as trincheiras latinas. Ao longo de todo o final da primavera e início do verão, as fileiras de seu exército aumentaram, à medida que tropas vindas de vários pontos do império chegavam a Acre. Na verdade, no final de junho, exércitos consideráveis chegaram da Mesopotâmia e do Egito. Mas a essa altura os cruzados estavam firmemente entrincheirados em suas posições. De vez em quando, grupos de ataque muçulmanos conseguiam entrar no acampamento inimigo – em certa ocasião, chegaram a roubar as panelas dos franceses –, mas eram sempre repelidos. À noite, Saladino tentava usar táticas mais sutis. Ladrões furtivos recebiam a incumbência de se esgueirar pelas sentinelas latinas e, uma vez entre as tendas, selecionavam uma vítima. Baha al-Din descreveu como "eles atacavam os homens com facilidade chegando a eles enquanto dormiam, colocando uma faca em suas gargantas, para depois despertá-los e dizer-lhes por meio de gestos: 'Se você falar, eu lhe corto a garganta'", levando-os embora como prisioneiros e para serem interrogados. Mas, em última instância, essas tentativas desesperadas de deter a ofensiva cristã e destruir o moral cruzado acabaram por fracassar. No início de julho, ficou claro que Acre estava à beira do colapso. Supervisionando as defesas da cidade a cavalo, uma testemunha ocular muçulmana disse que Saladino estava horrorizado: "Lágrimas desciam-lhe dos olhos... enquanto ele se voltava para o Acre e via a tormenta em que a cidade se encontrava". Muito abalado, "ele passou esse dia sem comer nada, (mas) apenas bebeu algumas taças de uma beberagem aconselhada por seu médico. (Ele estava) subjugado pelo cansaço, pelo desânimo e pela tristeza".[54]

O DESTINO DE ACRE

Por volta de 2 de julho de 1191, os cruzados retificaram sua estratégia. Tendo levado Acre à beira da submissão, eles agora buscavam explorar o estrago provocado nas defesas da cidade. A Torre Amaldiçoada tinha sido enfraquecida e uns dez metros da muralha vizinha estavam começando a ruir; ao norte, uma segunda grande torre estava prestes a desmoronar. Com os sapadores latinos intensificando seus esforços por minar esses alvos, acima do solo a barragem aérea diminuiu e a atenção se voltou para a execução de um assalto frontal, à medida que os francos se dispunham "com grande seriedade de propósito" a entrar em Acre.

Depois do primeiro dia desses ataques, Saladino recebeu uma mensagem importante de Qaragush e al-Mashtub afirmando que "amanhã, se o senhor não tiver nenhuma tarefa para nós, vamos buscar um acordo e entregar a cidade". Uma testemunha ocular no acampamento muçulmano registrou que "o sultão ficou devastado". Abalado pelo iminente desastre, ele ordenou a al-Adil que fizesse outro ataque frenético contra o acampamento cristão em 3 de julho, mas "a infantaria franca se colocou atrás de suas defesas como uma parede sólida com suas armas, suas bestas, arcos e flechas". Ao mesmo tempo, perto da Torre Amaldiçoada, sapadores terminaram um túnel. Depois de incendiada, essa mina escavada cheia de madeira desmoronou, pondo abaixo boa parte do parapeito acima. Grupos de francos desceram a barreira arruinada com escadas, enquanto a guarnição muçulmana subia nos escombros, preparando-se para o combate corpo a corpo.

O primeiro latino a subir numa das escadas foi Aubery Clements, marechal de França, um dos principais cavaleiros de Filipe. Mais tarde se disse, entre as forças cristãs, que, antes de escalar a brecha, Aubery havia declarado em tom desafiador: "Ou morro hoje ou, se Deus quiser, entro em Acre". Ao chegar ao topo, a escada de Aubery desmoronou sob o peso dos cruzados que ruidosamente o seguiram, e o assalto franco fracassou. Completamente isolado, dizem que Aubery teve que lutar sozinho com "excepcional valor", deixando seus compatriotas que caíram observando enquanto "os turcos o cercaram e o massacram, apunhalando-o até a morte". Essa, pelo menos, foi a versão cruzada dos eventos. Testemunhas muçulmanas confirmaram que Aubery fez uma tentativa patética de implorar por sua vida, oferecendo-se para providenciar uma retirada de toda a cruzada, antes de ser assassinado por um zeloso curdo. O ataque latino pode ter naufragado, mas tinha sido uma tentativa quase vitoriosa, e o perigoso estado das defesas de Acre espalhou uma onda de medo e pânico por toda a cidade. Naquela noite, três emires fugiram em pequenos botes disfarçados pelas sombras da noite; um deles cometeu um erro ao buscar refúgio no acampamento de Saladino, sendo imediatamente posto a ferros. Mas, na realidade, suas ações meramente refletiam uma verdade que agora era óbvia para todos: Acre estava prestes a cair.[55]

A brecha definitiva aconteceu na seção norte das defesas na mira de Ricardo I. O rei adoentado, ainda fraco demais para caminhar, era carregado até a linha de frente numa maca real, coberto "por uma grande colcha de seda". Atirando de trás da proteção de um anteparo de cerco, ele matava soldados muçulmanos com seu arco, entre eles um guerreiro que tivera a ideia infeliz de usar a armadura de Aubery Clements. Em 5 de julho seus sapadores explodiram outra mina, derrubando a torre norte e provocando a desintegração parcial das muralhas adjacentes. Como no caso da Torre Amaldiçoada, os cruzados agora se viram diante de uma fissura cercada de escombros, através da qual seria difícil realizar um assalto decisivo. A resposta de Ricardo demonstrou sua engenhosidade e seu gosto pelas realidades básicas da guerra. Sabendo, como observou secamente um contemporâneo, que "todos são atraídos pelo cheiro do dinheiro", o rei ofereceu duas moedas de ouro a todos que tirassem uma pedra da muralha abalroada. Este foi um trabalho quase suicida: flechas e setas atiradas por bestas tinham que ser evitadas, no confronto com a furiosa defesa corpo a corpo da brecha pelos muçulmanos. Contudo, muitos se fizeram voluntários, principalmente porque o Coração de Leão elevou a oferta para três, e depois para quatro moedas de ouro. Apesar do máximo esforço da guarnição, nos cinco dias que se seguiram o truque de Ricardo deu resultado: em 11 de julho uma substancial abertura nas muralhas havia sido feita, apesar do elevado custo financeiro e em vidas humanas. Em outros locais, as catapultas dos cruzados foram novamente postas em ação, aumentando a pressão a tal ponto que, em desespero, alguns muçulmanos preferiram buscar a morte se jogando das muralhas.[56]

Negociação

Com a derrota agora aparentemente iminente e inevitável, os comandantes da guarnição de Acre começaram a explorar a opção da rendição, embora uma luta encarniçada prosseguisse. Os detalhes exatos e a cronologia da capitulação da cidade são confusos. É possível que al-Mashtub e

Qaragush tenham aberto canais de conversação já em 4 de julho e, assim, seria errôneo atribuir mais crédito a Ricardo que a Filipe por finalmente ter obtido a bem-sucedida conclusão do cerco. Foi o poderio combinado dos exércitos angevino e capetíngio que acabaram por impor a submissão a Acre. O que fica claro é que a guarnição havia chegado aos limites de sua capacidade física e psicológica. Uma testemunha ocular cruzada resumiu a situação dos muçulmanos:

> Eles temiam o milagre que agora presenciavam, como o mundo inteiro viera aniquilá-los; eles viram suas muralhas atacadas, perfuradas e destruídas; viram seu povo ferido, morto e esquartejado. Na cidade permaneceram seis mil homens (...) mas que não foram suficientes.

Enquanto isso, no acampamento de Saladino, um muçulmano observava, com surpreendente clareza, que a guarnição de Acre "viu a morte de frente" naquele julho. Temendo ser massacrados depois que a cidade foi atacada, os muçulmanos preferiram a submissão e a vida. Por volta de 6 de julho, Ricardo e Filipe deram permissão aos enviados muçulmanos para que deixassem a cidade ostentado um salvo-conduto, de modo que pudessem discutir os termos da rendição com Saladino, mas não se chegou a nenhum acordo. O sultão ainda nutria esperanças de que a derrota total ainda poderia ser prevenida. Foi elaborado um plano para fazer a guarnição sair da cidade durante a noite, mas o esquema foi denunciado aos cristãos por um mameluco renegado que desertou do exército aiúbida. Prevenidos do ataque, os cruzados colocaram guardas extras em vigília e, embora as tropas de Saladino passassem toda a noite em armas, não se conseguiu obter nenhuma brecha nas linhas francesas. Ao mesmo tempo, outros reforços sírios chegaram ao acampamento muçulmano, incitando desejos de um contra-ataque desesperado.

Porém, nas trincheiras cruzadas, Ricardo e Filipe sabiam que estavam no controle da situação. Nos dias que se seguiram, eles adotaram uma ferrenha posição de barganha, recusando terminantemente qualquer oferta que não atendesse às suas exigências ambiciosas. A natureza precisa do envolvimento de Saladino nessas negociações não fica clara. Testemunhas oculares muçulmanas trataram de distanciá-lo de todo o processo, lutando por manter sua aura de invencibilidade. Chegou-se até a dizer que, ao receber o esboço dos termos finais, o sultão "expressou sua grande desaprovação", mas que sua planejada condenação da rendição foi prejudicada pela precipitada capitulação de Acre. Contudo, contemporâneos cristãos testificaram que Saladino "concordou com a capitulação da cidade quando ela não mais pôde ser defendida", permitindo a seus comandantes que "estabelecessem os melhores termos de paz que conseguissem". É certamente improvável que os reis cruzados tenham buscado conversações de paz sem as firmes garantias de que o sultão honraria um acordo final.[57]

Rendição

De qualquer modo, em 12 de julho de 1191 chegou-se a um acordo que punha fim ao cerco de Acre. A cidade e tudo o que continha nela deveriam ser entregues aos francos, que poupariam a vida dos muçulmanos que lá estavam. A guarnição cativa seria mantida como refém, como garantia contra o não cumprimento dos seguintes termos punitivos: o pagamento de 200 mil dinares de ouro; a devolução da relíquia da Verdadeira Cruz capturada em Hattin; e a libertação de cerca de 1.500 prisioneiros francos "de origem comum, sem nada de insigne", bem como de cem a duzentos cativos de alta linhagem. Concessões dessa magnitude assinalavam uma vitória categórica para a cristandade latina.

Depois de quase dois anos de luta renhida, a batalha pela conquista de Acre não terminou num saque feroz, manchado pelo sangue, mas numa súbita paz. Com a trégua acordada, um arauto foi enviado aos exércitos cruzados para anunciar o fim imediato das hostilidades, ordenando que "ninguém deverá ousar fazer ou dizer qualquer insulto ou provocação contra nenhum turco; tampouco deverão ser lançados quaisquer mísseis contra as muralhas ou qualquer turco que possa ser visto nas muralhas". Uma estranha calma desceu sobre a cena, enquanto "os cristãos observavam com olhos muito curiosos enquanto os turcos vagavam pelo topo das muralhas naquele dia". Os portões da cidade foram finalmente escancarados, e a guarnição marchou para fora para executar sua submissão. Testemunhando esse espetáculo, muitos cruzados ficaram surpresos: o inimigo sem rosto dos meses recentes se revelava, não como uma turba selvagem, mas como "homens de admirável bravura (e) excepcional valor... inalterados pela adversidade, de expressão resoluta". Alguns francos mostraram menos equanimidade, lamentando a profanação das igrejas "quebradas e desfiguradas" de Acre por essa "raça maldita", mas de modo geral a rendição ocorreu sem nenhum incidente violento.[58]

Como seus inimigos muçulmanos, os soldados da Terceira Cruzada haviam demonstrado enorme resistência em Acre, mantendo tenazmente seu cerco sob o calor escaldante e o frio cortante, enfrentando a fome, a doença e a luta incessante. Milhares, talvez mesmo dezenas de milhares, pereceram nessa empreitada – nenhuma estimativa precisa do número total de mortos é possível. Entre a aristocracia, mais prontamente identificada, as perdas foram sem precedentes: um patriarca, seis arcebispos e doze bispos; cerca de quarenta condes e quinhentos grandes nobres. Os reis da Inglaterra e da França não tinham iniciado essa luta, mas boa parte do crédito pela obtenção de sua triunfante resolução era deles. Antes de sua chegada, os combatentes tinham chegado a um impasse. Os recursos e o renovado vigor que Ricardo e Filipe injetaram permitiram que a balança pendesse em favor da cruzada. Em última instância, essa foi uma vitória que os dois monarcas podiam reclamar como deles – e assim o fizeram. Com a guarnição da cidade desarmada, eles reclamaram seu prêmio.

De volta ao Ocidente, Ricardo e Filipe concordaram em dividir igualmente suas conquistas na Terra Santa. Assim, seus estandartes foram hasteados juntos em Acre, com Ricardo ocupando o palácio real e tomando a custódia de al-Mashtub e metade dos prisioneiros, enquanto Filipe ficou com as antigas instalações dos templários, juntamente com Qaragush e os prisioneiros remanescentes. Contudo, sua ganância pouco deixou como espólio para os outros. Numa atitude para confirmar os direitos reais, Ricardo tirou das paredes um estandarte pertencente ao duque Leopoldo V da Áustria, um cruzado que havia chegado a Acre naquele abril. Tal fato tem sido frequentemente citado pelos historiadores como prova da natureza esquentada e brutal do Coração de Leão, mas isso significa prestar-lhe um desserviço. Ricardo com certeza ainda viveu para lamentar o mal-estar provocado por esse episódio, mas na época sua mente estava ocupada com a resoluta defesa de seus direitos inalienáveis, e o tratamento que dispensou a Leopoldo recebeu a tácita aprovação de Filipe. Havia bolsões de insatisfação entre os cruzados quanto ao ínfimo compartilhamento dos espólios recebidos; mas, para boa parte do exército franco, o gosto da vida, agora livre da ameaça da morte, era doce. "Dançando de alegria", eles entraram em Acre, onde, conforme observou um contemporâneo latino, de um modo um tanto afetado, sentiram-se "agora livres para se divertir e se recompor com um descanso bastante desejado". De fato, em breve a maioria havia se perdido nas tradicionais recreações soldadescas da bebida, do jogo e da prostituição.[59]

O efeito da queda de Acre

A captura de Acre não representou de modo algum o fim da cruzada, mas foi um passo significativo na reconquista da Terra Santa. Em parte, isso se deveu ao fato de o porto agora poder ser usado como praça de armas para os exércitos do Ocidente cristão, mas essa noção de Acre como o "portão vital para a Palestina" não deveria ser exagerada. Tiro, ao norte, permanecia em mãos latinas e, se Acre não tivesse caído, poderia ser usada como ponto de apoio secundário no interior do Levante. O real significado da queda de Acre jazia em outra parte.

A frota egípcia de Saladino, a joia de seu arsenal militar, ficou presa no protegido porto interno de Acre. Tão essencial como linha de salvação para a cidade, o grosso da marinha do sultão – cerca de setenta navios no total – havia sido gradativamente encurralada no porto cercado à medida que o sítio avançava. Os cruzados então tomaram posse dessa armada, aumentando em muito sua própria força naval e, num único golpe, pondo fim às esperanças de Saladino de desafiar o controle cristão do Mediterrâneo. Durante o restante da Terceira Cruzada os francos gozariam de inquestionável supremacia marítima.

A captura de Acre também teve efeitos menos tangíveis. Como estímulo ao moral latino, ela foi oportuna e potencialmente energizante. Talvez agora os cruzados pudessem acreditar que tinham virado uma página: que os horrores de 1187, de Hattin e da queda de Jerusalém tinham ficado para trás; que eles podiam novamente triunfar na guerra de Deus. A tarefa de canalizar essa florescente confiança e convicção para a conquista da Cidade Santa tocou a Ricardo I e Filipe Augusto.

Em contraste, Saladino se viu confrontado por uma realidade totalmente mais desoladora. Durante 21 meses ele havia se dedicado à preservação de Acre, mobilizando os recursos de seu vasto império na busca desse ideal. Sempre à frente na *jihad*, ele havia se mostrado relutante em se comprometer com a premente atrição da guerra de cerco. Mas ali ele tinha tomado uma posição. E, confrontado pelos aparentemente inumeráveis exércitos da Terceira Cruzada, o sultão havia fracassado. Em momentos críticos – principalmente no outono de 1189 e no verão de 1190 –, sua liderança havia se mostrado indecisa. Fisicamente, ele se enfraquecera pela doença reticente. Ao longo de toda a campanha de Acre, lutou para movimentar homens e recursos necessários, distraindo-se das exigências do império e da necessidade de defender a Síria contra os alemães, lutando esse tempo todo para galvanizar o mundo muçulmano esgotado por longos anos de guerra santa.

Em termos da perda de guerreiros, mesmo em termos da estratégica significância de Acre como porto, esse revés foi algo longe de decisivo. Mas o dano à reputação militar de Saladino, à sua imagem como o triunfante campeão do Islã, foi incomensurável. Foi sua aura de piedosa invencibilidade, cultivada a tão duras custas, que havia unido o Islã; o mito de Salah al-Din *al-Nasir* (o Defensor), o *mujahid* idolatrado, que mantinha seus exércitos em campo. As rachaduras nessa fachada agora se aprofundaram. Cercado pelos "gritos, lamentos, choros e uivos" de suas tropas em choque, Saladino ordenou uma retirada geral para Saffaram, para lá reconstruir sua reputação e pensar numa vingança.[60]

O ÚNICO REI

Dias depois da conquista de Acre, o papel de Ricardo Coração de Leão na Terceira Cruzada se transformou. Ele deixara o Ocidente como rei recém-coroado, que excedia Filipe Augusto em idade, riqueza e poderio militar, embora ainda se visse como operando parcialmente à sombra do monarca capetíngio. Mas em meados de julho de 1191, começaram a surgir rumores de que Filipe estava se preparando para deixar a Terra Santa. Em 22 de julho, depois de Ricardo ter buscado publicar uma proclamação conjunta confirmando que os dois governantes permaneceriam no Oriente por três anos ou até que Jerusalém tivesse sido reconquistada, o rei franco foi claro. Com Acre conquistada, ele considerava que sua cruzada estava cumprida e agora voltaria para a França a toda pressa. "Louvado seja Deus! Que reviravolta!", escreveu um cruzado.

Decifrar os motivos por trás da chocante decisão de Filipe não é tarefa fácil, com o testemunho contemporâneo inundado por contradição e polarização partidária. Diferentes fontes afirmam que Filipe estava desesperadamente doente; que Ricardo engendrou um boato malicioso de que o filho e herdeiro do monarca capetíngio havia morrido na Europa; ou que o rei franco covarde e insensivelmente abandonara a cruzada, deixando seu exército sem um centavo. Na verdade, uma consideração preponderante parece ter moldado o pensamento de Filipe: ele era rei, em primeiro lugar, e cruzado, em segundo. A guerra santa podia ser a obra de Deus, e Filipe desejava desempenhar seu papel na luta, mas seu coração sempre se dedicara à preservação, ao governo e ao aumento de seu reino. Com esse último tópico em mente, uma óbvia oportunidade se apresentava. O conde Filipe de Flandres havia morrido em Acre naquele mês de junho, deixando o rei Filipe como herdeiro de uma porção de seu condado, a próspera região de Artois. Para fazer valer esse direito, o soberano franco precisava estar na Europa Ocidental. De modo bastante racional, Filipe priorizou os interesses de seu reino acima daqueles da cruzada.

Qualquer que seja a realidade da motivação de Filipe, uma coisa era óbvia. Sua partida foi humilhante. Até alguns dos críticos mais ásperos de Ricardo I na Europa denunciaram a fuga do rei franco. Para piorar as coisas, a maioria da aristocracia francesa preferiu ficar na Terra Santa, com apenas Filipe de Nevers juntando-se ao êxodo do soberano. A retirada de Filipe Augusto pode ter acumulado uma generalizada condenação entre seus contemporâneos, o que levou um moderno comentador a declarar que "seu registro como cruzado ficou sendo uma mancha permanente em sua reputação", mas isso não deve nos desviar do fato de que ele fez uma efetiva contribuição à Terceira Cruzada. Muitos foram os reis da cristandade latina que repudiaram seus juramentos cruzados nesse período medieval, para nunca porem os pés no Ultramar – entre eles, o próprio pai de Ricardo, o tão celebrado Henrique II da Inglaterra. Talvez Filipe não tenha chorado, como um de seus apoiadores remanescentes quis que acreditássemos, quando seu navio finalmente zarpou para o Ocidente. Mas ele tinha, não obstante, feito progredir a causa da guerra santa.[61]

Para Ricardo I, o anúncio da iminente partida de Filipe foi, em muitos aspectos, uma bênção. É verdade que ele ficaria com o fardo financeiro de toda a expedição, mas seus bolsos eram suficientemente fundos para isso. Com a partida do rei franco, o Coração de Leão finalmente teria o controle inconteste da cruzada. E, como praticamente todo o contingente dos cruzados franceses permaneceria no Levante, sob o comando de Hugo da Borgonha, o exército latino não se enfraqueceria. Presenteado com esta oportunidade para forjar sua lenda no grande palco da guerra santa, Ricardo não perdeu tempo em tomar a iniciativa.

Ele começou por buscar a solução mais satisfatória para a disputa do futuro do reino de Jerusalém. Com Filipe para partir, um Conrado de Montferrat politicamente isolado foi forçado a aceitar uma contrariada submissão ao rei inglês em 26 de julho, concordando com aguardar a decisão de um conselho de reconciliação que inevitavelmente favoreceria os interesses de Ricardo. Dois dias depois, os monarcas angevino e capetíngio proclamaram esse acordo. Guy de Lusignan deveria permanecer rei enquanto vivesse. As rendas de seu reino seriam compartilhadas com Conrado, após a morte de Guy, com a coroa passando para o marquês. Conrado, nesse ínterim, seria recompensado imediatamente com Tiro, Beirute e Sídon, para se conservar no direito hereditário. Se ambos (Guy e Conrado) morressem, o reino seria delegado a Ricardo.

Com esse acordo feito, Ricardo voltou-se para uma das principais dificuldades provocadas pela volta de Filipe à Europa. Os dois monarcas tinham se empenhado tanto na cruzada precisamente porque ambos desconfiavam que o outro poderia invadir suas terras em sua ausência. Assim que o rei franco chegasse ao Ocidente latino, o angevino estaria ameaçadoramente exposto. Ricardo fez o que pôde para minimizar o perigo, convencendo Filipe a fazer um detalhado juramento de paz em 29 de julho. Numa atitude muito apreciada nessa época, o rei capetíngio segurou uma cópia dos Evangelhos numa das mãos e tocou relíquias santas com a outra, tudo para reforçar a natureza sagrada e de compromisso de suas promessas. Nenhum ataque a forças ou terras angevinas seria feito enquanto Ricardo ainda estivesse na cruzada. Depois da volta do Coração de Leão à Europa, haveria um aviso de quarenta dias antes da retomada das hostilidades. Para maior confirmação, Hugo da Borgonha e Henrique da Champagne deveriam ser as garantias desse acordo.

Em 31 de julho de 1191, Filipe zarpou rumo norte em direção a Tiro com Conrado, levando com ele metade dos prisioneiros da guarnição de Acre, e alguns dias depois o rei franco deixou a Terra Santa e a Terceira Cruzada. Com juramento ou não, Ricardo continuou com profundas suspeitas com relação às intenções de Filipe, despachando imediatamente um grupo de seus mais fiéis seguidores para que acompanhassem o rei em sua viagem de volta e avisá-lo de sua volta à França, à Inglaterra ou outras partes. Uma carta escrita por Ricardo em 6 de agosto para um de seus principais oficiais ingleses oferece um vislumbre de seu estado mental nesse ponto, seu desejo de aproveitar a retirada de Filipe, que, ao mesmo tempo, provocava novos receios:

> Quinze dias depois (da queda de Acre), o rei da França deixou-nos para voltar a seu país. Nós, contudo, colocamos o amor a Deus e Sua honra acima do nosso e da aquisição de muitas terras. Vamos restaurar o (reino latino) em sua condição original o mais rápido possível, e só então voltaremos a nossas terras. Mas você pode ter certeza de que zarparemos na próxima Quaresma.

Até esse ponto, Ricardo fora capaz de se concentrar no objetivo da Terceira Cruzada. Com Filipe a seu lado, tinha gozado de um grau de confiança quanto à segurança do reino ocidental. De agora em diante, suas preocupações aumentariam – cada dia passado no Oriente representava tempo ofertado a seu rival. Nunca mais o Coração de Leão conseguiria se concentrar apenas na busca da reconquista da Terra Santa.[62]

A SANGUE FRIO

A primeira preocupação de Ricardo, agora que ele tinha o comando único da cruzada, foi garantir o cumprimento dos termos da rendição de Acre para que a reconquista do Oriente latino pudesse continuar. À medida que o tempo avançava, uma questão agora inflamada tornava-se crucial. Faltavam pouco menos de dois meses para o fim da temporada normal de lutas, de modo que uma marcha para o sul quase imediata seria necessária para se obter a vitória total antes da chegada do inverno. Ricardo precisava de algumas semanas para reconstruir as fortificações de Acre para garantir que a cidade ficasse defensável em sua ausência, mas, ao mesmo tempo, começou a pressionar Saladino por um cronograma preciso para a implementação dos termos do tratado de paz.

Os dois lados então entraram numa delicada dança diplomática, embora potencialmente mortal. O sultão sabia que, para Ricardo, a velocidade era essencial. Mas enquanto o rei ainda mantivesse milhares de prisioneiros e um acordo imensamente rentável a ser cumprido, ele ficaria literalmente imobilizado. Se as negociações pudessem ficar em suspenso, os cruzados poderiam até ficar atolados em Acre ao longo do outono e do inverno. O Coração de Leão também estava bastante ciente de que seu oponente procuraria empregar essas táticas de postergação. Tanto ele quanto Saladino reconheciam que estavam jogando um jogo; o que ainda não conseguiam avaliar era o temperamento do adversário. As regras do jogo seriam aceitas e, na verdade, suas respectivas regras seriam as mesmas? E que riscos e sacrifícios o outro estaria preparado a enfrentar?

Para as duas partes, os perigos inerentes a uma avaliação errada eram graves. Ricardo poderia perder uma fortuna considerável em resgates e abrir mão da repatriação de mais de mil prisioneiros latinos e da mais reverenciada relíquia do Ultramar. Mas, o que era mais importante, se permitisse que o adiamento e a procrastinação virassem procedimentos rotineiros, estaria arriscando o colapso de toda a cruzada. Pois, sem um avanço, a expedição seguramente afundaria sob o peso da desunião, da indolência e da inércia. A equação com que Saladino se confrontava talvez fosse mais simples: as vidas de cerca de três mil prisioneiros muçulmanos pesavam contra a necessidade de sufocar a cruzada.

O pacto acordado em 12 de julho originalmente estipulava um prazo de trinta dias para o cumprimento de seus termos. Embora Saladino mostrasse boa vontade para atender às exigências francas – permitindo que um grupo de enviados latinos visitasse Damasco para inspecionar os prisioneiros e que um outro examinasse a relíquia da Verdadeira Cruz –, ele parecia igualmente determinado a conseguir mais tempo. Ricardo, inundado por delegações de negociadores muçulmanos de fala doce e portadores de muitos presentes, pareceu ceder em 2 de agosto. Embora suas forças estivessem prontas para sair de Acre, o Coração de Leão concordou com um compromisso: os termos da rendição seriam agora cumpridos em duas ou três parcelas, a primeira das quais providenciaria o retorno de 1.600 prisioneiros latinos e da Verdadeira Cruz, além do pagamento de metade do dinheiro prometido, 100 mil dinares. Saladino poderia muito bem ter interpretado isso como uma indicação de que o rei inglês tendia a ser manipulado, mas, se era assim que pensava, estava redondamente enganado. Na verdade, Ricardo tinha seus próprios motivos para aceder a um breve adiamento nos procedimentos – com Conrado de Montferrat teimosamente se recusando a devolver a parte dos prisioneiros muçulmanos tocante a Filipe Augusto, agora ocultos em Tiro, o Coração de Leão, no momento, não estava em condições de dar fim à devolução.

Contudo, em meados de agosto, essa dificuldade foi contornada, com o marquês forçado a ceder por Hugo da Borgonha, e os prisioneiros foram devolvidos. Com tudo no lugar, Ricardo agora estava ansioso por prosseguir. Desse ponto em diante, a evidência contemporânea desse episódio se torna cada vez mais confusa, com testemunhas oculares latinas e muçulmanas salpicando seus relatos com mútua recriminação, obscurecendo os detalhes exatos dos eventos. Parece, contudo, que Saladino julgou erroneamente seu oponente. Comentadores modernos amiúde têm sugerido que o sultão estava com dificuldade para juntar o dinheiro e os prisioneiros exigidos, mas isso não é confirmado pelo testemunho muçulmano contemporâneo. Parece mais provável que, com o prazo final da primeira parcela – 12 de agosto – já passado, ele começou deliberadamente a manobrar. Para o evidente descontentamento de Ricardo, os negociadores de Saladino agora buscavam inserir novas condições no acordo, exigindo que toda a guarnição fosse libertada mediante o cumprimento da primeira parcela, com reféns trocados como garantias de que o pagamento posterior das remanescentes 100 mil dinares fosse feito. Quando o rei respondeu com resoluta recusa, criou-se um impasse.

Instalado em seu acampamento em Saffaram, o sultão deve ter imaginado que ainda havia espaço para negociações, que Ricardo toleraria maior postergação na esperança de uma eventual resolução. Ele estava errado. Na tarde de 20 de agosto, Ricardo saiu de Acre com um exército, estabelecendo um acampamento temporário para além das velhas trincheiras nas planícies de Acre. Observando de seu ponto de vantagem em Tell al-Ayyadiya, a guarda avançada de Saladino ficou intrigada por essa súbita agitação. Eles se retiraram para Tell Kaisan, despachando uma mensagem urgente para o sultão. Ricardo então exibiu sua determinação. O grosso da guarnição muçulmana de Acre – cerca de 2.700 homens – foi levado para fora da cidade, todos os homens amarrados com cordas. Reunidos no terreno vazio para além das tendas francas, eles se amontoaram cheios de medo e confusão. Seriam enfim libertados?

> Então, como se fossem um só homem, (os francos) caíram sobre eles, e com punhaladas e golpes de espada mataram-nos a sangue frio, enquanto a guarda avançada muçulmana observava, sem saber o que fazer.

Sendo tarde demais para interferir, as tropas de Saladino montaram um contra-ataque, mas foram logo rechaçadas. Com o sol se pondo, Ricardo voltou para Acre, deixando o chão manchado de sangue e coberto de corpos massacrados. Sua mensagem para o sultão era de total clareza. Era assim que o Coração de Leão jogaria o jogo. Esta era a impiedosa determinação que imporia à guerra pela Terra Santa.

Nenhum evento na carreira de Ricardo tem levantado mais controvérsia ou crítica que essa calculada carnificina. Descrevendo uma busca da planície feita pelas tropas muçulmanas na manhã seguinte, Baha al-Din, o conselheiro de Saladino, refletiu sobre o acontecido:

> (Eles) encontraram os mártires onde haviam tombado e conseguiram reconhecer alguns deles. Grande tristeza e aflição tomaram-nos de assalto, pois o inimigo havia poupado apenas os homens importantes e de posição, ou quem fosse forte e capaz de trabalhar em suas obras públicas. Várias razões foram dadas para o massacre. Dizia-se que eles haviam sido mortos por vingança por seus homens que haviam sido mortos, ou que o rei da Inglaterra havia decidido marchar sobre Ascalão para assumir controle da cidade e não achou prudente deixar para trás aquele número de prisioneiros. Deus é que sabe.

Baha al-Din observou que o Coração de Leão "agiu traiçoeiramente com os prisioneiros muçulmanos", tendo recebido sua rendição "com a condição de que eles teriam suas vidas poupadas, não importa o que ocorresse", quando muito enfrentando a escravidão se Saladino deixasse de pagar seu resgate. O sultão recebeu as execuções com um misto de choque e raiva. Com certeza, nas semanas que se seguiram, ele começou a ordenar a execução sumária de qualquer cruzado que tivesse a má sorte de ser capturado. Mas também, em 5 de setembro, sancionou o restabelecimento de contato diplomático com o rei inglês, e alguns membros de seu séquito partiram para formar relações estreitas, quase cordiais, com Ricardo. No geral, ele e Saladino pareciam ter considerado o sombrio episódio e o que provavelmente ele tinha sido: um ato de conveniência militar, destinado a transmitir uma mensagem brutal e contundente de intenções. De maneira mais geral, o massacre parecer ter espalhado uma onda de medo e horror por todo o Islã do Oriente próximo. Saladino reconheceu que, no futuro, as guarnições deveriam abandonar seus postos em vez de enfrentar um cerco e uma possível captura. Mas até para os contemporâneos muçulmanos, os eventos de 20 de agosto não provocaram o vilipêndio universal ou absoluto do rei inglês. Ele continuou sendo "o homem maldito" e o "*Melec Ric*", ou "Rei Ric", o guerreiro e general espetacularmente realizado. Com o tempo, o massacre assumiu seu lugar entre outras atrocidades cruzadas, como o saque de Jerusalém em 1099, como um crime que, na realidade, não provocou uma fogueira de ódio que não podia ser apagada, mas conseguiu prontamente relembrar os interesses de se promover a *jihad*.[63]

É claro que o tratamento que Ricardo deu a seus prisioneiros também teve um impacto sobre sua imagem na cristandade ocidental, de alguma forma com um efeito muito mais duradouro e poderoso. Calculadas ou não, suas ações podiam ser apresentadas como infrações aos termos acordados quando Acre se rendeu. Se Ricardo fosse visto como alguém que quebrou sua promessa, ele poderia ficar aberto à censura, como transgressor das noções populares concernentes à cavalaria e à honra. O temor dessa crítica pode ser detectado na maneira comedida e cuidadosamente conduzida com que o rei e seus apoiadores procuraram apresentar as execuções.

A questão dominante era a justificativa. Na carta do próprio Ricardo para o abade de Claraval, datada de 1º de outubro de 1191, ele enfatizou a prevaricação de Saladino, explicando que, por causa dela, "o limite de tempo expirou, e, como o pacto que ele havia feito conosco se tornasse inteiramente vazio, nós, de maneira adequada, mandamos que os sarracenos em nossa custódia – cerca de 2.600 deles – fossem executados". Alguns cronistas latinos igualmente buscaram desviar a culpa para o sultão – afirmando que Saladino começara a matar seus prisioneiros cristãos dois dias antes da execução em massa de Ricardo – e também explicaram que o Coração de Leão só agira depois de reunir um conselho, e com a concordância de Hugo da Borgonha (que agora comandava os francos). A despeito de alguns poucos traços de censura no Ocidente – o cronista alemão Ansbert, por exemplo, denunciou a barbaridade do ato de Ricardo –, o rei inglês parece ter escapado à condenação generalizada.

Entretanto, as avaliações dos modernos historiadores têm flutuado ao longo do tempo. Escrevendo na década de 1930, quando a visão geral do Coração de Leão como monarca impetuoso e destemperado ainda prevalecia, René Grousset caracterizou o massacre como bárbaro e estúpido, concluindo que Ricardo foi levado a agir pela raiva incontida. Mais recentemente, a erudição enérgica e de enorme influência de John Gillingham muito fez para recuperar a reputação do rei. Na reconstrução que Gillingham faz dos eventos em Acre, o Coração de Leão surge como comandante calculista e de cabeça fria; alguém que reconheceu que os recursos para alimentar e vigiar os milhares de prisioneiros muçulmanos eram altos demais e, assim, tomou uma decisão sensata, levado pela conveniência militar.[64]

Na verdade, os motivos e a mentalidade de Ricardo em agosto de 1191 não podem ser recuperados com precisão. Uma explicação lógica para suas ações existe, mas ela, por si mesma, não elimina a possibilidade de que ele tenha sido motivado pela ira e a impaciência.

16. CORAÇÃO DE LEÃO

O rei Ricardo I da Inglaterra agora estava livre para conduzir a Terceira Cruzada à vitória: as muralhas de Acre tinham sido reconstruídas e sua guarnição muçulmana brutalmente eliminada; Ricardo havia garantido o apoio de muitos líderes cruzados, inclusive o de seu sobrinho Henrique II, conde de Champagne; até Hugo de Borgonha e Conrado de Montferrat haviam demonstrado, pelo menos, uma aceitação nominal do direito do Coração de Leão ao comando, embora Conrado continuasse escondido em Tiro.[65] Agora, o próximo objetivo da expedição tinha que ser determinado. Pouco ou nada seria conseguido com a permanência em Acre, mas sair da cidade por terra exporia a cruzada à total ferocidade das tropas de Saladino. Na Idade Média, um exército ficava totalmente vulnerável quando se movia em território inimigo. A única alternativa de Ricardo para obter um avanço era pelo mar, mas aparentemente ele rejeitou prontamente a ideia de uma estratégia baseada somente no poderio naval. Sendo assim, com o grande tamanho de sua frota, o transporte de todo o maquinário militar da cruzada seria um tremendo desafio; e, o que era mais preocupante, se ele não conseguisse capturar um porto adequado ao sul, toda a ofensiva entraria em colapso. O Coração de Leão, por fim, concordou com uma estratégia combinada – uma marcha de guerra que abraçaria o litoral do Mediterrâneo, seguida e apoiada de perto pela marinha latina. Isso excluiria de antemão um avanço sobre Jerusalém, mas, de qualquer modo, a rota óbvia para a Cidade Santa corria ao longo da costa sul em direção a Jafa e, em seguida, desviava-se para leste no sentido das colinas da Judeia – um caminho similar ao tomado pela Primeira Cruzada quase um século antes.

Contudo, as intenções estratégicas de Ricardo no verão de 1190 não ficaram claras. A Terceira Cruzada havia sido lançada para recuperar Jerusalém, mas era bem pouco provável que esse fosse o primeiro objetivo do rei naquele agosto. Ele pode muito bem ter planejado o uso do porto de Jafa como trampolim para um avanço direto sobre a Cidade Santa. Mas uma alternativa mais oblíqua também se apresentava; a cidade de Ascalão, ao sul, interrompendo as linhas de comunicação de Saladino com o Egito. Dada a dependência do sultão com relação à riqueza e os recursos dessa região, essa segunda alternativa prometia imobilizar a máquina militar muçulmana, abrindo a porta para a eventual reconquista de Jerusalém, ou, talvez, à captura do próprio Delta do Nilo.

É claro que a falta de clareza que cercava os planos de Ricardo era, em parte, resultado direto da ambiguidade deliberada do rei. Para ele, fazia total sentido esconder sua estratégia de Saladino, pois isso forçaria o sultão a diluir seus recursos ao se preparar para a defesa de duas cidades em vez de uma. Fontes muçulmanas certamente indicam que, até certo ponto, este estratagema funcionou. No final de agosto, Saladino ouvira rumores de que os cruzados marchariam sobre Ascalão, mas sabia que, uma vez tendo alcançado Jafa, eles poderiam facilmente atacar o interior. Discretamente informado por um de seus generais de que Ascalão e Jerusalém exigiriam guarnições de 20 mil homens, o sultão acabou por concluir que uma das duas teria que ser sacrificada.

De fato, é bastante possível que Ricardo ainda não tivesse se decidido por um objetivo definitivo. O grosso de seu exército podia ter os olhos fixos na Cidade Santa, mas ele talvez procurasse uma flexibilidade de abordagem, na esperança de alcançar o objetivo intermediário de Jafa, para então se decidir. Isso poderia parecer uma estratégia sensata na época, mas, na verdade, o rei estava meramente armazenando problemas para o futuro.

A MELHOR HORA

A intenção imediata de Ricardo era descer com os exércitos da Terceira Cruzada – algo entre dez mil e 15 mil homens – pela costa da Palestina, pelo menos até o porto de Jafa. Mas não era a conquista territorial (nem mesmo o desejo de batalha), que dominava a visão tática do Coração de Leão ao deixar a relativa segurança de Acre. Em vez disso, a sobrevivência era o princípio que o guiava – a preservação do poderio humano e os recursos militares, para garantir que a máquina de guerra cruzada chegasse intacta a Jafa. Essa tarefa apresentava enormes desafios. Ricardo sabia que, enquanto avançasse, seu exército ficaria terrivelmente vulnerável, sujeito a ferozes e quase constantes ataques por parte dos soldados inimigos que agora desejavam, com ira vingadora, o sangue dos francos. Ele também podia esperar que Saladino procurasse atrair os cruzados para a batalha em um campo aberto de sua escolha. Com tudo isso em mente, pode-se imaginar, à primeira vista, que a velocidade fosse a resposta. Ou seja, a melhor chance de Ricardo estava em cobrir os 95 quilômetros de marcha até Jafa o mais rapidamente possível, na esperança de evitar o inimigo. Afinal, tal distância podia ser coberta em quatro ou cinco dias, e o rei não dispunha de tempo. De fato, Ricardo resolveu avançar a partir de Acre num ritmo incrivelmente calculado, quase enfadonho. A lógica militar latina da época ditava que o controle era a chave para uma marcha bem-sucedida: as tropas precisavam manter uma formação compacta e rígida, confiando na força dos números e na proteção oferecida pela armadura para aguentar a chuva das cargas inimigas e os incessantes ataques feitos com projéteis. Ricardo levou essa teoria aos limites extremos.

Os historiadores têm sido pródigos em elogios à liderança do Coração de Leão nessa fase da expedição, descrevendo a marcha a partir de Acre como "uma clássica demonstração das táticas militares francas em seu auge" e elogiando a "admirável disciplina e o autocontrole" dos cruzados. De muitas formas, essa foi a melhor fase de Ricardo como comandante militar. Um de seus maiores feitos teve a ver com a formulação de uma estratégia para coordenar a marcha por terra com o avanço para o sul de sua marinha. Com o Mediterrâneo Oriental agora firmemente sob controle, o rei buscou maximizar a utilidade de sua frota. Um exército engajado na marcha para a batalha não conseguiria suportar o fardo de uma grande bagagem, mas tampouco podia correr o risco de ficar sem comida ou armas. Assim, enquanto a força terrestre carregava o suprimento de rações básicas para dez dias, composto por "biscoitos e farinha, vinho e carne", o grosso dos recursos militares da cruzada era transportado por navios conhecidos como "merendeiros". Estes deveriam encontrar a marcha em quatro pontos ao longo da costa – Jafa, Destroit, Cesareia e Jafa –, enquanto barcos menores, com cargas mais leves, navegariam mais perto da praia, na velocidade do exército, para oferecer um apoio quase constante. Um cruzado escreveu: "Então, disseram que eles avançariam com dois exércitos, um por terra e o outro por mar, pois ninguém poderia conquistar a Síria de outro modo enquanto os turcos a controlassem". A rota sul ao longo da costa de Ricardo também prometia oferecer às suas tropas proteção do cerco do inimigo. Onde fosse possível, os cruzados avançariam com os soldados do flanco direito praticamente caminhando junto ao mar, assim eliminando qualquer possibilidade de ataque por esse flanco. Com essas medidas, Ricardo esperava minimizar o impacto negativo da marcha através do território inimigo. Esse esquema sofisticado era produto evidente do planejamento antecipado e, em parte, provavelmente dependia do conhecimento local das Ordens Militares. O sucesso dependeria da manutenção da disciplina militar e, nesse sentido, a força da personalidade de Ricardo e sua coragem inabalável seriam decisivas.

Apesar disso tudo, nem as realizações do Coração de Leão nem a precisão mecânica dessa marcha deveriam ser exageradas. Mesmo nessa fase da cruzada, ele enfrentou dificuldades, geralmente ignoradas por comentaristas modernos. Na realidade, seu primeiro problema – o verdadeiro início da marcha – não deixou de ser um embaraço. Poder-se-ia esperar que, como único monarca remanescente da expedição, a autoridade de Ricardo fosse inquestionável; afinal, ele até se preocupara em recompensar cruzados francos potencialmente intratáveis, como Hugo de Borgonha, com o intuito de garantir sua lealdade. Não obstante, o rei inglês teve uma série imoderada de problemas para efetivamente convencer seus colegas francos a deixar Acre. O problema era que o porto tinha se tornado um refúgio confortável, e até tentador, contra os horrores da guerra santa. Lotada "de tanta gente que mal conseguia abrigar todo mundo", a cidade tinha se transformado numa verdadeira espelunca, oferecendo todos os tipos de prazeres ilícitos. Um cruzado reconheceu que ela "era deliciosa, com bons vinhos e mulheres, algumas muito bonitas", com quem os cruzados latinos estavam "tendo seus prazeres insensatos". Nessas condições, Ricardo teve que trabalhar duro para conseguir obediência. Um dia depois de seu massacre dos prisioneiros muçulmanos, ele estabeleceu um posto de vigília nas planícies a sudeste do porto, pouco depois das velhas trincheiras cruzadas. Um de seus apoiadores admitiu que o Coração de Leão teve que recorrer a um misto de bajulação, oração, suborno e força para reunir uma força viável, e mesmo assim muitos ainda permaneceram em Acre. Realmente, durante todo o primeiro estágio da marcha, retardatários continuaram a se juntar ao exército principal. Para começar, pelo menos o ritmo comedido do avanço de Ricardo – agora tão admirado pelos historiadores militares – parece ter sido adotado basicamente para permitir que esses recrutas alcançassem a marcha.[66]

A marcha começa

O exército principal partiu em direção sul numa terça-feira, 22 de agosto de 1191. Para eliminar todo o "relaxamento" entre suas tropas, Ricardo ordenou que todas as mulheres ficassem para trás em Acre, embora uma exceção fosse feita para as peregrinas idosas que, segundo se afirmou, "lavavam as roupas e as cabeças (dos soldados) e eram tão boas quanto os macacos para espantar as moscas". Nos dois primeiros dias, Ricardo cavalgou na retaguarda de suas forças, garantindo a manutenção da ordem, mas a despeito das expectativas só encontrou uma resistência negligenciável. Saladino, incerto quanto às intenções do Coração de Leão e talvez temendo um ataque direto a seu acampamento em Saffaram, reuniu apenas uma força de sondagem simbólica nessas alturas. Tendo coberto meros dezesseis quilômetros em dois dias, os cruzados atravessaram o rio Belus e acamparam, descansando durante todo o dia 24 de agosto e "esperando por aquele povo de Deus que era difícil fazer sair de Acre".[67]

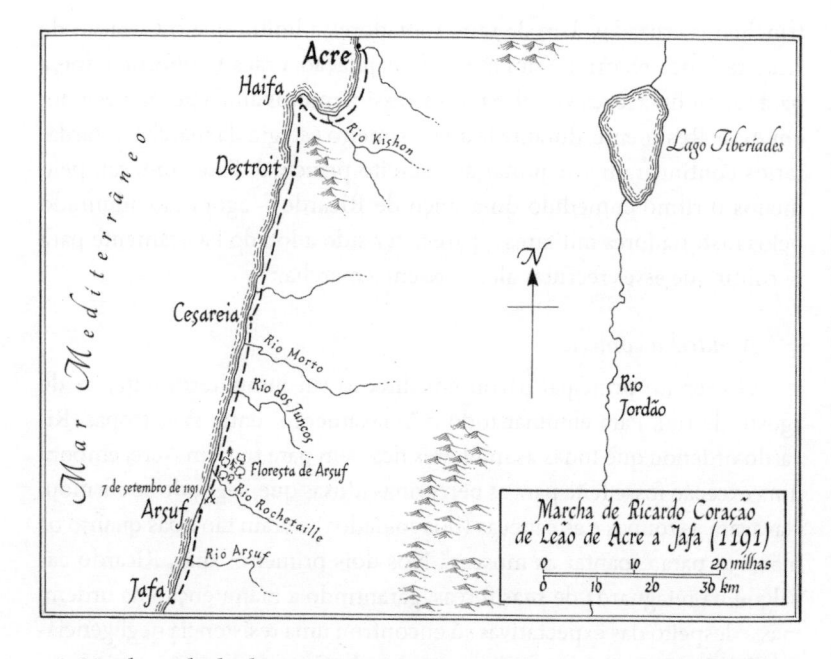

Marcha de Ricardo Coração de Leão de Acre a Jafa (1191)

Na alvorada do dia seguinte, Ricardo partiu para cobrir a distância que restava até Haifa. O exército foi dividido em três – o rei assumindo a vanguarda, um corpo central de cruzados ingleses e normandos, com Hugo de Borgonha e os franceses fechando a retaguarda. Por enquanto, a coordenação entre esses grupos era limitada, mas eles por fim se uniram diante da visão do estandarte real de Ricardo tremulando acima do centro da marcha. À medida que a cruzada avançava para o sul, o mesmo acontecia com o estandarte que ostentava o dragão do rei no coração do exército, afixado a um enorme mastro de ferro, armado numa plataforma de madeira sobre rodas e protegido por uma guarda de elite. Visível a todos, inclusive o inimigo (que o associou a "um enorme farol"), enquanto hasteado esse totem marcaria a continuada sobrevivência dos francos, ajudando os homens a conter seu medo diante do ataque muçulmano. Naquele domingo, essa contenção seria dolorosamente necessária.

Para chegar a Haifa, Ricardo levou a cruzada à praia arenosa ao sul de Acre. Sem que os latinos soubessem, Saladino havia levantado acampamento naquela manhã (25 de agosto), despachando sua bagagem em segurança e ordenando que seu irmão al-Adil testasse a força e a coesão da marcha dos cristãos. Um confronto estava se aproximando. No final do dia, uma atmosfera de palpável mal-estar acometeu o exército cruzado em sua lenta marcha. À sua esquerda, entre as dunas ondulantes, tropas muçulmanas surgiram, seguindo sua marcha, observando e esperando. Então, um nevoeiro desceu, e o pânico começou a se espalhar. Na confusão, a retaguarda francesa, contendo as carroças de suprimento leve, diminuiu o passo, perdendo contato com o resto do exército: nesse momento al-Adil atacou. Um cruzado descreveu o súbito ataque muçulmano que se seguiu:

> Os sarracenos desceram sobre nós, visando as carroças, matando homens e cavalos; levaram muita bagagem, pondo em fuga os que comandavam (o comboio), perseguindo-os até o mar espumejante. Ali lutaram de tal modo que cortaram a mão de um soldado chamado Evrart (um dos homens do bispo Hubert Walter); ele não deu atenção a isso e não fez nenhum alarde... mas, empunhando a espada com a mão esquerda, manteve-se firme.

Com a retaguarda "levada à paralisação" e o desastre iminente, notícias do ataque chegaram até Ricardo. Reconhecendo que a intervenção direta e imediata seria necessária para evitar um mortal cerco, o Coração de Leão foi para trás em disparada. Uma testemunha ocular cristã descreveu como "galopando contra os turcos, (o rei) foi para o meio deles, mais rápido que o raio", derrotando os atacantes muçulmanos com total força das armas e reconectando a retaguarda com o corpo principal do exército. Com o inimigo escondendo-se nas dunas, o exército latino ficou abalado, porém intacto. Tendo sobrevivido a esse primeiro desafio, os cruzados chegaram naquela noite ou bem cedo na manhã seguinte, lá acampando durante os dias 26 e 27 de agosto.[68]

Ficou claro que os cruzados teriam que se reagrupar. Estudos modernos enfatizaram a habilidade com que Ricardo organizou e manteve os francos marchando em formação ao sair de Acre. Mas isso ignora o fato de que, até um ponto significativo, o Coração de Leão e seus homens na verdade tiveram que aprender com seus erros. Um cruzado escreveu que, depois das experiências de 25 de agosto, os francos "fizeram grandes esforços e se conduziram de maneira mais sensata". Enquanto continuava a esperar que o exército estivesse completamente reunido – pois soldados ainda estavam chegando de Acre, agora principalmente de navio –, o rei se propôs a reordenar suas forças. O equipamento foi reduzido; os pobres em especial tiveram que começar a marcha sobrecarregados "de alimento e armas", de modo que "um certo número deles teve que ser deixado para trás para morrer de calor e sede". Ao mesmo tempo, uma ordem de marcha muito mais estruturada foi estabelecida e isso parece ter sido seguido durante o restante da jornada para o sul.

Os cruzados continuavam, sempre que possível, a se conservar junto ao litoral, mantendo um contato ainda mais próximo com a frota. A elite, os templários e hospitalários enrijecidos pelas batalhas receberam a tarefa crucial de se ocuparem da vanguarda e da retaguarda, enquanto o rei e um grande grupo central de cavaleiros foram protegidos no flanco esquerdo exposto por densas filas de soldados de infantaria com boas armaduras. Uma testemunha ocular muçulmana que observou o exército alguns dias depois descreveu essa última unidade como uma "parede" impenetrável. Protegidos por "uma armadura completa e bem-feita", invulneráveis ao fogo leve dos mísseis, "as flechas caíam sobre eles sem nenhum efeito", de modo que ele viu "francos com dez flechas encravadas nas costas continuando a agir despreocupadamente". Esses homens de infantaria podiam usar arco e besta para deter atacantes que provocavam escaramuças, mas no geral concentravam-se em manter constante seu avanço inexorável. Reconhecendo que essa tática "de escudo" custaria um enorme desgaste físico e psicológico, Ricardo dividiu a infantaria em duas unidades, alternando períodos de atividade e de descanso, deixando o grupo que descansava se recuperar enquanto marchava no flanco direito protegido e junto ao mar, juntamente com o grupo do exército carregando bagagem leve.[69]

Adaptando essa formação, os cristãos deixaram Haifa em 28 de agosto, sabendo que, desse ponto em diante, encarariam uma provocação intensa e incessante das tropas de Saladino. Ricardo agora tomou grande cuidado em conservar a energia de seu exército, seguindo cada etapa da marcha com um ou até mesmo dois dias de descanso. As forças muçulmanas certamente acompanhavam cada um de seus passos, chegando mesmo a vigiar os acampamentos dos latinos à noite, o tempo todo buscando qualquer oportunidade de romper sua marcha ordenada. O que permaneceu obscuro, contudo, foi se o sultão tentou desafiá-los numa batalha em escala total. Os historiadores têm julgado erroneamente e de maneira uniforme as intenções de Saladino nesse sentido, sugerindo que ele, desde o começo, tinha se instalado num local adequado ao sul, perto de Arsuf. O testemunho ricamente detalhado de Baha al-Din, que esteve com o sultão durante todo esse período, apresenta um quadro muito diferente. Parece que Saladino ficou bastante surpreso com as táticas de Ricardo. Tomado de surpresa pela inesperada decisão do rei de ter repetidos dias de descanso, o sultão avaliou mal a velocidade do avanço dos francos e, portanto, o espaço de tempo que suas tropas teriam que ficar no campo, prevendo escassez de alimento. De momento, Saladino parecia ter sido vencido no jogo pelo Coração de Leão, forçado a adotar uma estratégia reativa imbuída de desespero. Soldados estavam efetivamente sendo despachados para rondar os cristãos, mas o sultão também deu início a uma frenética busca por um campo de batalha adequado, reconhecendo pessoalmente a rota costeira sul e avaliando a vulnerabilidade dos possíveis locais de acampamento dos cruzados. Durante todo esse período ele esteve atentamente procurando formas de deter a marcha dos latinos.

Durante oito dias, os cruzados fizeram um avanço lento e árduo. Avançando da fortificação arruinada de Destroit para Cesareia no dia 20 de agosto, uma sexta-feira, eles começaram a titubear sob o escaldante sol de verão. Um latino que marchava no exército descreveu como:

> O calor era tão intolerável que alguns morriam devido a ele; estes foram enterrados imediatamente. Os que não conseguiam prosseguir, os exauridos e exaustos, dos quais amiúde havia muitos, os indispostos e enfermos, o rei sabiamente havia levado para as galeras e os pequenos barcos para a etapa seguinte.

No dia seguinte, a caminho do rio Morto, de nome sombrio, os francos obtiveram um notável sucesso durante uma prolongada escaramuça. Entre os inimigos desse dia estava Ayas, o Alto, um dos mais célebres e ferozes mamelucos de Saladino, assolando todos os que se punham em seu caminho com uma enorme lança. Quando um golpe de sorte derrubou seu cavalo, Ayas, pesado demais por causa de sua armadura, foi atacado e morto. Baha al-Din admitiu que "os muçulmanos muito lamentaram por ele", mas, o que talvez seja mais importante, a vitória ajudou a levantar o moral cristão. Igualmente o fez o ritual cristão de todas as noites, quando se entoava em massa "Santo Sepulcro, ajuda-nos" antes de se recolherem para obter algumas poucas horas de sono agitado. Mas a indubitável chave para seu autocontrole continuado diante dessa pressão implacável era a presença do Coração de Leão, irredutível, sempre pronto a interferir numa rixa, a reforçar as linhas. Ricardo parece ter tido o grande cuidado de monitorar o humor de seus homens, procurando se assegurar de que não estava forçando demais a resistência deles. No começo de setembro, com a falta de comida começando a preocupar, as discussões irromperam. Os homens da infantaria giravam em torno das carcaças dos "mais gordos cavalos mortos" que haviam tombado durante a marcha de cada dia, brigando por sua carne, para o desgosto dos cavaleiros que tinham sido seus proprietários. O rei intercedia, afirmando que substituiria toda montaria perdida desde que a carne do animal morto fosse oferecida a "homens de armas dignos". Francos agradecidos "comiam (a) carne dos cavalos como se fosse de caça. Temperada com a fome, e não com molhos, eles a achavam deliciosa".[70]

É claro que os benefícios da presença visível envolviam um risco considerável. Marchando para além do rio Morto em 3 de setembro, um trecho "selvagem" da costa forçou os cruzados a se moverem para o interior por algum tempo. Saladino havia escolhido esse momento para buscar a luta, comandando pessoalmente três divisões de tropas contra as pesadas fileiras dos cruzados. Repetidamente, os muçulmanos bombardearam os cristãos com flechas e então atacaram suas linhas. Baha al-Din observou os repetidos ataques acontecendo:

> Vi (Saladino) realmente cavalgando entre os soldados enquanto as flechas inimigas passavam por ele. Dois pajens o acompanhavam, com duas montarias extras, e isso era tudo, cavalgando de divisão em divisão e incitando-as a avançar, ordenando-lhes que pressionassem com força o inimigo e o obrigasse a lutar.

O sultão retornou ileso, mas Ricardo teve menos sorte. Como sempre no empenho da luta, o rei foi subitamente atingido de lado por um golpe de besta. Felizmente, ele conseguiu se manter na sela enquanto o combate prosseguia à sua volta. Desta vez tivera sorte: sua armadura havia absorvido a maior parte do impacto, e "ele não ficou seriamente ferido". Mas o episódio evidenciou os riscos imensos, embora necessários, que ele corria como rei-guerreiro medieval *par excellence*. Se nesse dia ele tivesse tombado, toda a cruzada poderia ter entrado em colapso. Contudo, da mesma forma, sem sua presença tangível, aparentemente indestrutível, na linha de frente, a resistência franca provavelmente também teria entrado em colapso. Sendo como foi, ele e Saladino sobreviveram a esse primeiro confronto. No final do dia, um exército cristão um tanto abalado chegou ao rio dos Juncos. Enquanto montavam acampamento em suas margens, parecem ter ignorado que, a apenas um quilômetro e meio rio acima, os muçulmanos também estavam montando suas tendas. Baha al-Din comentou com certa ironia que "nós estávamos bebendo das águas mais altas, enquanto o inimigo bebia das mais baixas".[71]

A BATALHA DE ARSUF

Ricardo agora estava a apenas quarenta quilômetros de Jafa. Embora a marcha tivesse sido tão exaustiva, também se revelara um maravilhoso sucesso. Mas o rei deve ter suspeitado que Saladino agora iria empregar todos os seus recursos para deter o avanço franco, pois a perda de Jafa seria um grave golpe para o Islã. A rota à frente passava pela Floresta de Arsuf e levava a um óbvio local de acampamento junto ao rio Rochetaille, mas depois desse ponto abria-se uma planície arenosa antes que a pequena cidade de Arsuf fosse alcançada. Corriam rumores no exército latino de que algum tipo de emboscada ou ataque era iminente. Ricardo deixou que suas tropas descansassem junto ao rio dos Juncos em 4 de setembro, mas naquela noite deu um golpe de mestre. O imprevisível ritmo da marcha cruzada já havia lançado sementes de confusão e dúvida na mente de Saladino, comprometendo seu ímpeto de tomar a iniciativa. Agora o Coração de Leão jogou uma inesperada e engenhosa cartada, despachando enviados à guarda avançada dos muçulmanos para solicitar conversações de paz com al-Adil. O sultão havia passado o dia rapidamente patrulhando a floresta e a planície ao sul, buscando um campo de batalha, antes de voltar velozmente em direção norte. Na verdade, ele se deslocou com tanta pressa que, quando caiu a noite, muitos de seus homens "ficaram para trás, espalhados pela floresta". Saladino estava começando a perder o controle de seu exército. Quando as notícias do pedido de Ricardo chegaram-lhe naquela noite, ele acedeu, instruindo seu irmão a "estender as conversações". Com o tempo, o sultão poderia ser capaz de mobilizar suas forças e montar uma ofensiva.

Contudo, mais uma vez, o rei da Inglaterra havia engabelado completamente seu oponente. Ricardo não estava disposto a uma negociação de verdade; em vez disso, havia convocado o encontro para enganar Saladino quanto às suas intenções e, talvez, recolher alguma informação sobre os planos e preparativos dos muçulmanos. O Coração de Leão efetivamente reuniu-se com al-Adil no amanhecer do dia 5 de setembro num encontro privado, mas a conversa entre eles não foi nem prolongada nem cordial. O rei exigiu sem rodeios a devolução da Terra Santa e a retirada de Saladino para território muçulmano. Não foi surpresa que al-Adil se sentisse ultrajado, mas assim que as conversas foram interrompidas, Ricardo ordenou a seu exército que avançasse para a Floresta de Arsuf. Pego completamente desprevenido, o sultão não foi capaz de responder, com suas tropas desalinhadas. A maioria dos cruzados ainda entrou na floresta num estado de ansiedade, "pois se dizia que (os muçulmanos) a incendiariam, provocando um fogo tão grande que o exército (cristão) seria assado". Mas graças à habilidosa dissimulação de seu líder, eles passaram sem impedimento e ilesos até chegar ao Rochetaille. Ricardo deixou que seus homens descansassem em 6 de setembro – aproveitando esta última oportunidade de tomar fôlego antes de enfrentar o desafio de Arsuf e para além desse local. Saladino, nesse ínterim, manteve uma conversa fechada com al-Adil, buscando furiosamente um estratagema que pudesse evitar o desastre.[72]

Ao acordar no sábado, 7 de setembro, o Coração de Leão deve ter sabido que o inimigo usaria o espaço oferecido pela planície aberta à frente para montar outro assalto furioso. Ele talvez até pressentisse que o confronto seria numa escala maior que o enfrentado em 3 de setembro. Para os cruzados, aquele sábado começou como qualquer outro dia de março desde que deixaram Haifa, com a rigorosa estrutura de formação da tropa. A essa altura, o exército contava com cerca de 15 mil homens, dos quais entre mil e dois mil eram cavaleiros montados. Um cruzado registrou que "Ricardo, o valoroso rei da Inglaterra, que sabia tanto sobre a guerra e o exército, estabeleceu, segundo seu critério, quem iria à frente e quem iria atrás". Os templários, como de costume, assumiam a liderança, enquanto seus irmãos hospitalários fechavam a retaguarda com uma poderosa força de arqueiros e besteiros. Com um grupo misto de poitevinos, normandos e ingleses garantindo o centro e Henrique de Champagne comandando o flanco esquerdo, do lado interior, Ricardo e Hugo de Borgonha deviam comandar uma reserva móbil que podia avançar por todo o exército, reforçando os pontos fracos sempre que necessário. Como sempre, uma formação ordenadamente fechada era de suprema importância; na verdade, dizia-se que os francos deixaram as margens do Rochetaille "em tal ordem, lado a lado e tão próximos uns dos outros que uma maçã (atirada no meio deles) não deixaria de atingir um homem ou um animal".

Mas de acordo com o cruzado Ambrósio havia alguma coisa diferente nos preparativos daquele dia. Em seu relato, o rei estava preparando suas tropas não apenas para uma marcha, mas para uma batalha. Ambrósio, que seguira Ricardo para o Oriente na cruzada e que mais tarde compôs um épico em francês antigo com versos contando a história da expedição, descreveu o dia 7 de setembro de 1191 como de deliberada confrontação; um dia de glória numa escala quase homérica. Seu herói, o Coração de Leão, foi mostrado tomando a decisão consciente e proativa de desafiar Saladino de cabeça erguida. Percebendo com uma antevisão quase sobrenatural "que eles não poderiam avançar sem uma batalha", o rei planejou empregar a mais poderosa arma dos cristãos – a carga de cavalaria pesada – no momento em que o sultão houvesse sobrecarregado suas forças. O tempo deveria ser crucial, mas tendo à sua disposição apenas as formas medievais rudimentares de comunicação no campo de batalha, Ricardo tinha que confiar num sinal aural para iniciar o ataque. Ambrósio descreveu como "seis trombetas (foram) colocadas em três diferentes locais do exército, que soariam quando eles devessem se virar contra os turcos".

O relato de Arsuf feito por Ambrósio tem sido de grande influência: amplamente copiado por seus contemporâneos, amiúde regurgitado sem crítica por historiadores modernos. A imagem épica daquela manhã de sábado na costa da Palestina engendrada por sua descrição há muito tem se imposto: o resplandecente exército cruzado começando sua marcha, em seu apogeu, praticamente ansiando pela luta, tal como uma flecha encaixada, segura com mão trêmula no arco, pronta para ser disparada. Mas apesar dos detalhes, do colorido e do fascínio da visão de Ambrósio, outros relatos de testemunhas oculares põem em xeque sua narrativa. O principal dentre eles é uma carta – que tem sido extraordinariamente subestimada pelos historiadores – escrita pelo próprio rei Ricardo I. Tal missiva, um despacho efetivo direto das linhas de frente para Garnier de Rochefort, abade cisterciense de Claraval, foi escrita apenas três semanas depois da Batalha de Arsuf, em 1º de outubro de 1191. Sua descrição breve, quase de passagem, dos eventos de 7 de setembro, sugere que a principal preocupação do Coração de Leão naquele dia era alcançar a relativa segurança dos pomares de Arsuf com seu exército intacto e não buscar um confronto definitivo com Saladino.

Na época dos cruzados, as batalhas direcionadas eram extremamente raras. Os riscos envolvidos e o elemento do acaso significavam que generais tarimbados evitavam o conflito aberto a todo custo, a menos que estivessem de posse de uma enorme superioridade numérica. A prioridade total de Ricardo nesta fase da cruzada era alcançar Jafa, e de lá ameaçar Ascalão e Jerusalém. Buscar uma luta decisiva com Saladino quando comandava uma força militar igual, ou talvez até maior, e podia escolher seu próprio terreno, seria equivalente a jogar com o destino de toda a guerra santa numa rodada de dados. Talvez o rei realmente tivesse preparado seus homens para a batalha em Arsuf, se devemos confiar nele – sua carta não diz nada –, mas, ainda assim, existe uma diferença significativa, embora sutil, entre a preparação para o conflito e o empenho nele.

Para Saladino, em contraste, um confronto decisivo era essencial. Enfrentando o avanço latino aparentemente incontrolável, ele sabia que, sem ação, seria forçado, em apenas alguns dias, a encarar uma abjeta impotência à medida que o Coração de Leão se aproximava de Jafa. Chegar depois do conquistador de Acre teria consequências estratégicas e políticas horrendas, pois o controle da Palestina pelo Islã seria gravemente desestabilizado e sua própria reputação como *mujahid* ficaria seriamente maculada. Os francos precisavam ser detidos ali, na planície poeirenta de Arsuf. Como afirmou Baha al-Din sem rodeios: "(O sultão tinha) toda intenção de trazer o inimigo para a batalha direta naquele dia".[73]

Quando os cruzados marcharam para além do Rochetaille, logo após o alvorecer, foram saudados por uma visão ameaçadora: lá, onde as colinas cobertas de bosques desciam para o limite esquerdo da planície, Saladino havia disposto a força total de seu exército. Linha após linha de tropas estendiam-se diante deles, "empilhadas, como uma cerca espessa". Encarando cerca de 30 mil guerreiros muçulmanos, os francos agora estavam suplantados em número, numa relação, no mínimo, de dois para um. Por volta de nove horas da manhã, a primeira onda de dois mil inimigos desceu em direção a eles e a luta começou. Enquanto a manhã avançava, Saladino empregou praticamente toda sua força, conservando apenas uma unidade de elite de cerca de mil homens da Guarda Real para servir como ponta de lança de um ataque, assim que surgisse uma brecha na formação latina. Hora após hora, com o sol escaldante brilhando sobre eles, os cristãos continuaram a marchar, agora fustigados pela matança incessante.

Um cruzado descreveu a impressionante cacofonia do campo de batalha – um amontoado de tropas "uivando, gritando (e) ladrando", com os trombeteiros e tamborileiros inimigos pulsando o terrível ritmo do combate – de modo que "não se conseguia ouvir nem Deus trovoando, devido à balbúrdia que se fazia". A principal arma dos muçulmanos era um bombardeio aéreo de incrível velocidade: "nunca a chuva, a neve ou o granizo, no coração do inverno, caíram tão densamente quanto as flechas que vinham matar nossos cavalos", relembrou uma testemunha ocular, observando que braçadas de flechas podiam ter sido reunidas como se fossem o trigo cortado nos campos. Também entre o inimigo havia tropas que poucos soldados já haviam enfrentado: aterrorizantes negros africanos. Uma testemunha ocular latina declarou que "eles eram chamados de 'negros' – esta é a verdade – (provenientes) de terras selvagens, medonhos e mais escuros que a fuligem... um povo que era muito rápido e ágil". O horror do implacável assalto daquela manhã foi quase insuportável.

> Os francos acharam que suas linhas seriam rompidas (e) não esperavam sobreviver mais de uma hora ou sair dali vivos; na verdade, (alguns) covardes não resistiram a lançar

> seus arcos e flechas por terra, buscando refúgio entre o inimigo... Nenhum homem estava tão confiante que não desejasse, do fundo do coração, que tivesse dado um fim à sua peregrinação.⁷⁴

A prioridade do rei Ricardo em todo esse episódio foi manter a disciplina da tropa e manter seu exército avançando em formação para Arsuf. Qualquer pausa ou interrupção da linha seria letal, mas a tentação entre seus homens de lançar um contra-ataque era quase irresistível. Um mensageiro saiu da retaguarda dos hospitalários, implorando permissão para retaliar, mas o Coração de Leão a recusou. Por enquanto, pelo menos, a ordem era aguardar. Foi um teste para a força de vontade e o carisma do rei como general que, por tanto tempo, mantivera sua autoridade diante de uma pressão extraordinária como essa. Os cristãos agora estavam "cercados, como um rebanho de ovelhas, pelas mandíbulas dos lobos, de modo que não conseguiam ver nada além do céu e seus terríveis inimigos por todos os lados". E, contudo, seu avanço prosseguia.

Com a vanguarda dos templários se aproximando dos pomares de Arsuf, o próprio mestre deles, Garnier de Nablus, cavalgou na frente para fazer um segundo pedido ao rei, reclamando da vergonha da inação, porém mais uma vez o rei objetou. De maneira crucial, a própria carta de Ricardo de 1º de outubro indica que as linhas de frente da marcha agora atingiam os limites de Arsuf e "montavam acampamento", fato confirmado por Baha al-Din, que escreveu que "os primeiros destacamentos da infantaria (cristã) chegaram às plantações de Arsuf". Esse documento desmente a ideia de que Ricardo, ao longo de todo o 7 de setembro, estivesse maquinando uma grande estratégia, contendo suas forças apenas para que pudessem ser lançadas à batalha aberta. Como já tinha sido durante toda a jornada desde Acre, sua prioridade em Arsuf era a segurança e a sobrevivência. Com esse objetivo tão perto de sua concretização, a mão do Coração de Leão foi forçada.⁷⁵

Olhando em retrospectiva, Ricardo subitamente descobriu que uma carga contra a cruzada havia começado. Sem avisar, dois cavaleiros da retaguarda – o marechal dos hospitalários e Balduíno de Carew – haviam rompido fileiras. Levados por um misto de raiva, humilhação e sede de sangue, "eles irromperam pela linha (e), com cavalos a todo galope, atacaram os turcos", gritando o nome de são Jorge. Uma onda de entusiasmo se espalhou pelo exército e, em poucos momentos, milhares de cruzados haviam se voltado para seguir seu líder. A guarda hospitalária da retaguarda correu para a batalha. Então, enquanto Ricardo observava horrorizado, Henrique de Champagne, Jaime de Avest e Roberto, conde de Leicester, também investiram com o flanco esquerdo e o centro do exército.

Esse foi o momento da decisão. Ricardo pode não ter desejado a batalha, mas sem nenhuma esperança de reconvocar suas tropas, agora era a vez dele. Não reagir seria catastrófico, mas o Coração de Leão não mostrou hesitação: "Ele esporou seu cavalo para fazê-lo galopar mais rápido que uma flecha lançada de seu arco", comandando o remanescente de suas forças. Não é de surpreender que o suposto sinal de trombeta de Ambrósio nunca tenha soado.[76]

Uma cena de carnificina agora se abria diante do rei. A primeira carga dos cruzados havia resultado num caótico banho de sangue, à medida que as frentes do exército de Saladino começaram a se assustar e se pôr em fuga. Os feridos gritavam, "enquanto outros, chafurdando no próprio sangue, davam o último suspiro. Um grande número era apenas de corpos sem cabeça pisoteados igualmente pelos iguais e pelos inimigos". Mas enquanto Ricardo corria para a confusão, o sultão reuniu suas tropas e montou um contra-ataque. A contribuição do rei para a batalha não fica clara. Ricardo subestimou seu talento, oferecendo esse conciso relato do encontro em sua carta ao abade de Claraval:

> Nossa vanguarda estava avançando e já estava montando acampamento em Arsuf, quando Saladino e seus sarracenos fizeram um violento ataque à nossa retaguarda, mas pela graça da favorável misericórdia de Deus foram postos em fuga por apenas quatro esquadrões que os enfrentaram.

Outros contemporâneos latinos, Ambrósio entre eles, pintaram uma cena mais emocionante de heroísmo da realeza, em que o Coração de Leão praticamente ganhou o dia sozinho:

> O rei Ricardo perseguiu os turcos com singular ferocidade, caiu sobre eles e os dispersou (e) onde ele fosse sua espada desembainhada abria um largo caminho dos dois lados...

> Ele abateu aquela raça indizível como se estivesse ceifando a colheita com uma foice, de modo que os corpos dos turcos que tinha matado cobriam o chão por toda a parte no espaço de oitocentos metros.[77]

Talvez sua bravura militar não alcançasse uma escala tão épica, mas a contribuição pessoal de Ricardo pode ainda ter sido o fator decisivo que alterou o equilíbrio do encontro. Repetidas vezes, na Idade Média, os reis-guerreiros, vistos por seus homens no auge da luta, viravam a maré da batalha, assegurando a vitória. Qualquer que seja a explicação, os francos em Arsuf conseguiram repelir um ou talvez até dois contra-ataques muçulmanos. No final, com a maioria de suas tropas em debandada, Saladino foi forçado a uma vergonhosa retirada. Obstinadamente perseguido, com ele e o restante de suas tropas cercados, os muçulmanos fugiram para as florestas da redondeza, deixando a vitória, do jeito que estava, para os cristãos.

Os francos exauridos pela batalha reuniram-se para se arrastar até Arsuf, finalmente montando um acampamento seguro. A maioria estava caindo de exaustão, mas como sempre havia alguns lixeiros, "ávidos por ganho", que saíam para saquear os mortos e os moribundos. Quando a noite começou a cair, contaram 32 emires muçulmanos entre as baixas, bem como cerca de setecentos soldados inimigos, a maioria dos quais tinha sido morta no primeiro ataque latino. Nesse ínterim, numa primeira avaliação, as baixas latinas pareciam ser mínimas.

Naquela noite, contudo, um boato inquietante se espalhou pelo exército. Jaime de Avesnes, o respeitado cavaleiro cruzado de Hainaut, tinha desaparecido. No amanhecer do dia seguinte, um grupo de buscas dos templários e hospitalários vasculhou o campo de batalha e, por fim, entre os mortos cristãos e islâmicos, localizaram seu corpo mutilado. Disseram que no calor da batalha seu cavalo tinha caído; lançado fora da sela, Jaime lutou como um leão, mas à medida que a maré da batalha virava, seu antigo companheiro de armas, o conde Roberto de Dreux, ignorou seus pedidos de ajuda. Abandonado, Jaime fez seus últimos esforços desesperados, matando quinze homens do inimigo, antes de ser perpassado. Ele foi encontrado em meio aos mortos muçulmanos, o "rosto tão coberto de sangue coagulado que mal o reconheceram antes de o lavarem com água". Com grande reverência, seu corpo foi levado de volta para Arsuf e enterrado numa cerimônia assistida pelo rei Ricardo e Guy de Lusignan. "Todos gemiam, choravam e lamentavam" por sua morte; a Terceira Cruzada havia perdido um de seus guerreiros mais antigos e renomados.[78]

O significado de Arsuf

A batalha de Arsuf há muito tem sido vista como um histórico triunfo cruzado. Ao procurar construir uma imagem de Ricardo I como o monumental herói da guerra santa, Ambrósio apresentou esta luta como um confronto crítico e ensaiado entre o Coração de Leão e Saladino – um encontro em que Ricardo buscou ativamente, e conseguiu, uma retumbante vitória. Esse relato de Arsuf tem sido amplamente aceito, e o sucesso de Ricardo em 7 de setembro de 1191 tornou-se uma das pedras angulares de sua reputação militar. Jean Flori, um recente biógrafo do Coração de Leão, afirmou que a batalha revelou "a habilidade do rei na 'ciência da guerra'", acrescentando que ela "foi lutada nos termos de Ricardo", com o monarca angevino "já tendo preparado seu exército em ordem de batalha".[79]

Na verdade, a reconstrução das batalhas medievais é uma tarefa fenomenalmente imprecisa, e as intenções de Ricardo não podem ser definidas com acurácia. Na média, contudo, a evidência no mínimo torna provável que Ricardo não desejasse travar uma grande batalha em Arsuf. Ele podia ter esperado um ataque muçulmano em 7 de setembro, mas parece ter se concentrado em seu principal objetivo – alcançar o proposto local de acampamento em Arsuf para depois prosseguir para Jafa. Na ocasião, quando a retaguarda cruzada rompeu suas fileiras para deslanchar um ataque, a resposta rápida, resoluta e valente do Coração de Leão evitou o desastre, em última instância garantindo uma vitória oportunista, mas de moral elevado. De maneira crucial, sua habilidade militar foi reativa, e não proativa. Na época, o rei Ricardo não afirmou ter planejado a batalha – essa noção só parece ter surgido após a Terceira Cruzada –, mas sua carta de 1º de outubro efetivamente afirma que os muçulmanos foram bastante atingidos em Arsuf. Ela dizia:

> A matança entre os mais nobres sarracenos de Saladino não foi tão grande, mas ele perdeu mais naquele dia perto de Arsuf (que) em qualquer outro dia dos quarenta anos

anteriores... (Desde) aquele dia, Saladino não ousa batalhar contra os cristãos. Em vez disso, fica à espera a distância, fora das vistas como um leão em seu covil, (esperando para matar) os amigos da cruz como ovelhas.

Fontes árabes reconhecem que os aiúbidas sofreram uma desastrosa derrota em Arsuf. Baha al-Din, que presenciou a batalha, registrou que muitos "tiveram a morte dos mártires" e admitiu que, embora al-Adil e al-Afdal tivessem lutado bem, este último ficou "abalado por esse dia". Em termos reais, contudo, as perdas humanas dos muçulmanos não foram decisivas – Saladino tinha sido batido no campo de batalha, mas a guerra santa prosseguiria. Depois de alguns dias, o sultão estava escrevendo para seus "territórios distantes", solicitando reforços. O dano revelador, como em Acre, era psicológico. Enquanto Saladino lutava para reimpor o controle sobre seus exércitos, diziam que seu "coração" estava "cheio de sentimentos que só Deus poderia saber (e) as tropas também estavam feridas no corpo ou no coração". A correspondência do sultão desse período esforçou-se por apresentar um relato positivo dos eventos, declarando que os ataques muçulmanos tinham diminuído o avanço franco a tal ponto que eles levaram dezessete dias para percorrer uma jornada de dois dias e celebrando o assassinato de "Sir Jaki" (Jaime de Avesnes). Mesmo assim, a verdade mal podia ser escondida. Mais uma vez, Saladino havia tentado e falhado em deter a Terceira Cruzada em seu caminho.[80]

Em 9 de setembro de 1191, os francos retomaram sua marcha, chegando ao rio Arsuf sem muita dificuldade. No dia seguinte, Ricardo chegou às ruínas de Jafa – as muralhas do porto tinham sido demolidas por ordem de Saladino no outono de 1190. A devastação era tanta que todo o exército latino teve que se aquartelar nos bosques de oliveiras e jardins que cercavam a cidade, mas os cruzados se alegraram por encontrar uma grande abundância de comida, incluindo uvas, figos, romãs e amêndoas. Logo os navios cristãos começaram a chegar, trazendo suprimentos de Acre, e uma posição defensiva foi estabelecida na costa palestina. Ricardo Coração de Leão havia conduzido a Terceira Cruzada à beira da vitória, e Jerusalém agora ficava a apenas 64 quilômetros em direção ao interior.

17. JERUSALÉM

No final do verão de 1191, o rei Ricardo I da Inglaterra procedeu a uma marcha notavelmente controlada e implacavelmente eficiente em direção ao sul, saindo de Acre para Jafa, sujeitando Saladino a uma derrota, se não arrasadora, pelo menos humilhante ao longo do caminho. Desde sua chegada à Terra Santa, o Coração de Leão havia galvanizado a Terceira Cruzada; não mais atolada e inerte nos confins do nordeste da Palestina, a expedição agora parecia prestes a cruzar o umbral da vitória. O sucesso dependia de um entusiasmo – só a ação imediata e resoluta preservaria a frágil coalizão franca e manteria pressão sobre um inimigo cambaleante. Mas justamente quando o compromisso centralizado num claro objetivo militar se fazia necessário, Ricardo hesitou.

DECISÕES E DECEPÇÕES

Por volta de 12 de setembro de 1191, apenas alguns dias depois da chegada a Jafa, relatos preocupantes vindos do sul começaram a se infiltrar no acampamento cruzado. Saladino, afirmava-se, havia ido para Ascalão e agora estava arrasando o porto mantido pelos muçulmanos. Com esses rumores despertando um misto de incredulidade, horror e suspeita, o rei enviou Godofredo de Lusignan (que havia sido apontado como conde titular da região) e o confiável cavaleiro Guilherme de L'Estang para investigarem. Velejando para o sul, eles logo vislumbraram a cidade, e, à medida que se aproximam dela, uma cena de espantosa devastação. Ascalão estava tomada pelas chamas e a fumaça, com sua população aterrorizada fugindo numa evacuação forçada, enquanto os homens do sultão se esparramavam pelas poderosas defesas do porto, destruindo muralha e torre.

Esse triste espetáculo era produto do recente e resoluto tratamento da guerra por Saladino. Ainda se ressentindo da humilhante derrota em

Arsuf, o sultão havia reunido seus conselheiros em Ramla no dia 10 de setembro para reavaliar a estratégia aiúbida. Tendo buscado e não conseguido confrontar os cruzados de frente durante sua marcha para o sul a partir de Acre, Saladino decidiu adotar uma postura mais defensiva. Se Ricardo não podia ser esmagado em batalha aberta, então providências drásticas seriam tomadas para deter seu avanço – uma política de arrasar a terra para prejudicar o movimento franco, envolvendo a destruição das principais fortalezas. O objetivo crítico era Ascalão, ao sul do principal porto da Palestina e a um passo do Egito. Se os francos capturassem a cidade intacta, o Coração de Leão teria a cabeça de ponte perfeita para ameaçar Jerusalém e a região do Nilo. Saladino percebeu que lhe faltavam recursos para uma guerra em duas frentes e, priorizando a proteção da Cidade Santa, ordenou que as muralhas de Ascalão fossem arrasadas. Esta não deve ter sido uma decisão fácil – dizia-se que o sultão teria afirmado: "Por Deus, eu preferiria perder todos meus filhos a ter que demolir uma única pedra" –, mas era necessário. O tempo urgia, pois se Ricardo continuasse a avançar, ele poderia tomar o porto. Portanto, Saladino enviou al-Adil para observar os cruzados em Jafa, e então correu para o sul com al-Afdal para supervisionar a triste tarefa, pondo seus soldados para trabalhar em um ritmo feroz, dia e noite, temeroso da chegada do Coração de Leão.[81]

Quando Godofredo e Guilherme trouxeram notícias do que tinham visto em Jafa, o rei Ricardo ainda tinha uma oportunidade de agir. Durante todo o final do verão, ele havia sido deliberadamente evasivo quanto a seus objetivos, mas agora uma decisão definitiva tinha que ser tomada. Para o Coração de Leão, a opção parecia clara: a captura de Ascalão era o próximo passo lógico para a cruzada. Como general, ele reconhecia, até então, que as realizações da expedição haviam dependido da superioridade naval. Enquanto a cruzada continuasse a abraçar a linha costeira, o domínio latino do Mediterrâneo poderia evitar o isolamento e a aniquilação oferecendo uma linha de suprimentos e reforços. Até então, os cristãos não tinham efetivamente lutado a Terceira Cruzada em território inimigo; quando eles marchassem para o interior, a verdadeira batalha começaria. A captura de Ascalão e a reconstrução de sua fortaleza prometiam desestabilizar um maior controle da Palestina por Saladino, criando um enclave costeiro seguro, enquanto mantinham as opções de Ricardo de um eventual ataque a Jerusalém ou ao Egito.

Ricardo chegou a Jafa aparentemente esperando que, como rei e comandante, sua vontade fosse acatada; que a marcha para o sul pudesse prosseguir quase sem pausa. Mas ele cometeu um sério erro de cálculo. Como modalidade de guerra, a cruzada era governada não apenas pelos ditames da ciência militar ou pelas noções de política, diplomacia ou economia. Tratava-se de um modelo de conflito sustentado pela ideologia religiosa – dependendo do fascínio irresistível e devocional de um alvo como Jerusalém, para criar uma unidade de propósito em um exército desigual. E para a maioria dos que compunha o amalgamado exército cruzado de Ricardo, marchar para o sul saindo de Jafa era equivalente a passar ao largo das portas da Cidade Santa.

Em um conselho reunido fora de Jafa em meados de setembro de 1191, o Coração de Leão se viu confrontado por essa realidade. Apesar de seus melhores esforços para pressionar por um ataque a Ascalão, muitos nobres latinos resistiram – entre eles Hugo de Borgonha e outros franceses –, argumentando, em vez disso, em favor da reconstrução da fortaleza de Jafa e um ataque mais direto no interior, em direção a Jerusalém. No final, como afirmou um cruzado, "a alta voz do povo prevaleceu", e a decisão foi de ficar em Jafa. Parece que, na época, Ricardo não o reconheceu, mas não havia sido aprovado em um teste decisivo. Os eventos em Jafa expuseram uma fatídica deficiência em suas habilidades como líder. O Coração de Leão havia sido educado nos procedimentos da guerra desde a infância; a partir de 1189 suas habilidades e autoridade como rei começaram a florescer. Mas, até então, ele não conhecera a realidade da cruzada.

Com a decisão de permanecer em Jafa, a cruzada perdeu seu ímpeto. Começaram os trabalhos para a reconstrução do porto e suas defesas, enquanto Saladino completava a destruição de Ascalão. Os cruzados, fragilizados pelos horrores da marcha de Acre, agora se comprazíam no súbito intervalo das hostilidades. Entre o constante fluxo de navios de suprimento, naves lotadas de prostitutas logo começaram a aparecer. Com sua chegada, queixava-se uma testemunha ocular cristã, o exército novamente se poluiu pelo "pecado e a sujeira, más ações e luxúria". À medida que os dias se transformavam em semanas, até a vontade de invadir a Cidade

Santa diminuiu, e a expedição começou a se fragmentar. Alguns francos chegaram a velejar até Acre para desfrutar de confortos mais requintados, e, eventualmente, Ricardo teve que viajar para o norte em pessoa para incentivar esses ausentes a voltarem à ação.[82]

A caminho de Jerusalém

No final, a Terceira Cruzada permaneceu estagnada em torno de Jafa e seus arredores por quase sete semanas. Essa demora deu tempo a Saladino de ampliar sua estratégia de destruição, demolindo a rede de fortificações que ia da costa até Jerusalém. Ricardo passou boa parte de outubro de 1191 reunindo seu exército e, apenas nos últimos dias desse mês, com a temporada natural de lutas se fechando, foi que a expedição começou a avançar para Jerusalém. Ela então enfrentou um desafio diferente de qualquer outro conhecido pelas cruzadas anteriores. Em 1099, os primeiros cruzados haviam marchado sobre a Cidade Santa sem encontrar grandes obstáculos, e em seu cerco subsequente, por mais duro que tenha sido, os francos haviam enfrentado uma força inimiga relativamente pequena e isolada. Agora, quase um século depois, os latinos podiam esperar o enfrentamento de uma resistência mais inflexível.

O poderio de Saladino pode ter se enfraquecido depois de 1187, mas ele ainda possuía formidáveis recursos militares com que acossar e se opor a toda aproximação cristã da Cidade Santa. E se os cruzados alcançassem Jerusalém, sua verdadeira conquista apresentava inúmeras dificuldades. Protegidas por uma guarnição total e resistentes fortificações físicas, as defesas da cidade seriam insuperáveis, e qualquer exército sitiante sem dúvida enfrentaria ferozes contra-ataques das forças muçulmanas adicionais no campo de batalha. Ainda mais problemática era a questão do abastecimento e do reforço: depois que a Terceira Cruzada deixasse a costa para trás, teria que depender de uma frágil linha de comunicação com Jafa; se rompida, Ricardo e seus homens enfrentariam o isolamento e, provavelmente, a derrota.

O principal objetivo do Coração de Leão no outono de 1191 era o estabelecimento de uma confiável corrente de apoio logístico avançando para o interior. A principal estrada para Jerusalém cruzava a planície costeira a leste de Jafa, atravessando Ramla rumo a Latrun, antes de se voltar para o nordeste até Beit Nuba, nos sopés das Colinas da Judeia, para antes se desviar para o leste até a Cidade Santa (embora houvesse alternativas, como a rota mais ao norte, via Lydda). Ao longo do século XII os francos haviam construído uma linha de fortalezas para defender o acesso a Jerusalém. Muitas delas haviam sido controladas pelas Ordens Militares, mas todas tinham caído em poder do Islã depois de Hattin.

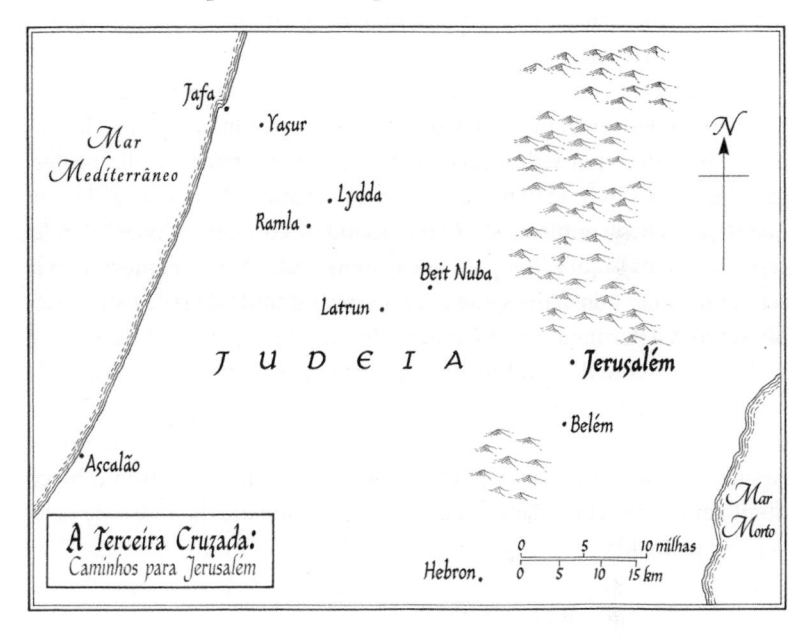

Mapa: A Terceira Cruzada: Caminhos para Jerusalém

A recente mudança de estratégia por parte de Saladino havia deixado a estrada à frente dos cruzados num estado de desolação. Todos os sítios fortificados importantes – incluindo Lydda, Ramla e Latrun – tinham sido desmantelados. No dia 29 de outubro, Ricardo seguiu marcha pelas planícies a leste de Jafa e começou, com enorme sacrifício, o lento trabalho de reconstruir uma série de sítios que avançavam pelo interior, começando com dois fortes perto de Yasur. Em termos militares, a guerra agora descambara para uma série de escaramuças. Mobilizando suas forças em Ramla, Saladino procurou atormentar os francos, impedindo seus esforços de construção enquanto evitava o confronto em larga escala. Uma vez começado o avanço para Jerusalém, o Coração de Leão com frequência se lançara nesse tipo de luta. No início de novembro de 1192, uma expedição de rotina foi destroçada quando um grupo de templários foi atacado e superado numericamente. Quando as notícias chegaram a ele, o rei correu em seu socorro sem hesitação, acompanhado por André de Chauvigny e Roberto, conde de Leicester. O Coração de Leão chegou "rugindo" com sede de sangue, atacando como um "raio" e logo forçou os muçulmanos a baterem em retirada.

Testemunhas latinas sugerem que alguns dos companheiros do rei realmente questionaram se as ações daquele dia tinham sido prudentes. Repreendendo-o por ter arriscado sua vida tão prontamente, eles protestaram que "se algum mal lhe acontecer, a cristandade será morta". Dizem que Ricardo ficou enfurecido. "O rei mudou de cor. Então disse: 'Mandei (estes soldados) aqui e lhes pedi que fossem à luta (e) se eles morrerem lá sem mim então nunca mais vou querer portar o título de rei'". Este episódio revela a determinação do Coração de Leão de agir como rei-guerreiro na linha de frente do conflito, mas também sugere que, a essa altura, ele estava assumindo riscos que preocupavam até seus colaboradores mais próximos. Com certeza havia perigos reais envolvidos nessas escaramuças. Apenas algumas semanas depois, André de Chauvigny quebrou o braço direito enquanto enfrentava um oponente muçulmano durante uma peleja perto de Lydda.[83]

Conversando com o inimigo

Por mais ousado que o envolvimento de Ricardo possa ter sido nessas incursões pelo interior, sua ofensiva militar foi apenas uma faceta de uma estratégia combinada. Durante todo o outono e o começo do inverno de 1191, o rei buscou usar a diplomacia juntamente com a ameaça militar, talvez esperando que, quando usadas em conjunto, essas duas armas pudessem trazer Saladino à submissão, evitando a necessidade de um assalto direto a Jerusalém.

De fato, o Coração de Leão havia reaberto os canais de comunicação com o inimigo apenas alguns dias depois da Batalha de Arsuf. Por volta de 12 de setembro, ele enviou Hunfredo de Toron, o ex-marido de Isabela, para requisitar uma retomada das discussões com al-Adil. Saladino acedeu, dando a seu irmão "permissão para realizar as conversas e o poder de negociar por sua própria iniciativa". Um dos confidentes do sultão explicou que "(Saladino) achou que as reuniões fossem de nosso interesse porque viu nos corações dos homens que estavam cansados e desiludidos com a luta, com as dificuldades e o peso das dívidas sobre suas costas". Provavelmente Saladino também estava procurando ganhar tempo e conseguir informações sobre o inimigo.[84]

Nos meses que se seguiram, o serviço de inteligência provou ser de preciosa serventia, e espiões parecem ter se infiltrado nos dois acampamentos. No final de setembro de 1191, Saladino conseguiu evitar por pouco um vazamento potencialmente perigoso quando um grupo de cristãos orientais viajando pelas colinas da Judeia foi detido e revistado. Descobriu-se que estavam carregando documentos extremamente importantes – cartas do governador aiúbida de Jerusalém para o sultão, detalhando sua preocupação com a falta de grãos, equipamento e homens na Cidade Santa –, que tinham a intenção de apresentar ao rei Ricardo. Nesse ínterim, para fornecer um suprimento regular de cativos francos para interrogatório, Saladino contratou trezentos ladrões beduínos de má fama para capturar prisioneiros durante a noite. Contudo, para os latinos e os muçulmanos, o conhecimento dos movimentos do inimigo e de suas intenções era sempre falível. Saladino, por exemplo, aparentemente fora informado de que Filipe Augusto tinha morrido em outubro de 1191. E, o que talvez tenha sido mais significativo, o Coração de Leão persistiu em superestimar o poderio militar de Saladino durante boa parte do restante da cruzada.

Durante todo o outono e o início do verão de 1191, Ricardo aguardou ansiosamente por manter um diálogo regular com al-Adil, e, para dizer o mínimo, esse contato parece ser sido ocultado dos exércitos francos. Em parte, o rei deve ter sido levado à negociação pelo boato de que Conrado de Montferrat havia aberto seu próprio canal diplomático com Saladino. Como sempre, a disposição do Coração de Leão de discutir os caminhos para a paz com o inimigo não indicou uma preferência pacifista por evitar o conflito. A negociação era uma arma de guerra, uma arma que podia gerar um acordo quando combinada com uma ofensiva militar; uma arma que, com certeza, traria um serviço secreto vital; e, de maneira decisiva nesta fase da cruzada, uma arma que oferecia a oportunidade de semear dissensão entre as fileiras do Islã.

Mesmo antes de sair de Jafa, Ricardo entrou num intenso período de comunicação com al-Adil entre 18 e 23 de outubro. Inicialmente, o rei tratou de avaliar a atitude do inimigo com relação a Jerusalém. Ele queria explorar a possibilidade de que Saladino pudesse renunciar à posse de uma cidade sobre a qual Ricardo afirmou sem rodeios "ser o centro de nossa fé a que nunca renunciaremos, mesmo que reste apenas um de nós". Mas al-Adil deu uma resposta inequívoca do sultão, enfatizando a referência do Islã pela Cidade Santa e exortando o Coração de Leão "a não imaginar que vamos desistir dela, pois não podemos revelar uma palavra dessas entre os muçulmanos".

Ricardo, então, fez uma audaciosa mudança de tática – que surpreendeu seus adversários na época e ainda confunde os modernos historiadores. O rei já havia feito a proposta de cultivar uma relação amigável com al-Adil, aparentemente descrevendo-o como "meu irmão e amigo" numa conversa. Ele agora deu o passo maior de propor uma extraordinária aliança de casamento entre a cristandade latina e o Islã, em que al-Adil deveria se casar com Joana, a irmã do próprio Ricardo. Esta união formaria a base de um acordo de paz em que "o sultão daria a al-Adil todas as terras costeiras que ele dominava e o faria rei da (Palestina), com Jerusalém servindo "como sede do reino (do casal real)". Esta nova unidade política continuaria a ser parte do império de Saladino, mas os cristãos teriam livre acesso à Cidade Santa. Al-Adil e Joana comandariam os castelos da região, enquanto as Ordens Militares Cristãs assumiriam o controle de suas vilas. O pacto seria selado por uma troca de prisioneiros e a devolução da Verdadeira Cruz. Com uma exibição de aparente magnanimidade, o Coração de Leão proclamava que a aceitação desse acordo poria um fim imediato à cruzada e propiciaria seu retorno para o Ocidente.

Como essa oferta não foi registrada por nenhuma fonte cristã sobrevivente (sendo mencionada apenas em textos árabes), fica difícil saber com certeza como esse acordo aparentemente ultrajante possa ter sido recebido pelos compatriotas francos de Ricardo. O Coração de Leão parece ter mantido a coisa toda em segredo, inicialmente até para sua irmã, mas se ele levou a ideia a sério ou se sua intenção era apenas a de funcionar como ardil, permanece obscuro. O que é certo é que al-Adil a encarou como uma proposta genuína. Em termos diplomáticos, a proposta de Ricardo possuía uma sutileza de mestre. Alerta para as potenciais tensões entre Saladino e al-Adil – sendo a posição deste último como irmão de confiança contrabalanceada pela ameaça que ele representava ao filho e herdeiro do sultão –, o rei inglês fez uma oferta que al-Adil não podia ignorar, mas uma oferta que também o fazia parecer alguém com ambições pessoais. Profundamente cônscio dessa implicação, al-Adil recusou-se a levar o esquema de Ricardo a Saladino em pessoa, incumbindo Baha al-Din de fazê-lo, e instruindo-o a falar com extrema cautela.

Saladino, na verdade, concordou com os termos, embora possa ter acreditado que Ricardo nunca levaria o plano adiante e só estivesse tentando "zombar dele e enganá-lo". Efetivamente, em alguns dias o Coração de Leão mandou dizer que sua irmã não poderia se casar com um muçulmano e então sugeriu que al-Adil se convertesse ao cristianismo, deixando "a porta aberta para negociações".[85]

Algumas semanas depois, com a Terceira Cruzada agora retardando seu avanço sobre a Judeia, Ricardo mais uma vez solicitou um encontro. Ele e al-Adil encontraram-se em uma tenda opulenta, levantada pouco além da linha de frente muçulmana em Ramla, em 8 de novembro de 1191. A atmosfera foi quase cordial. Os dois trocaram "alimentos, objetos de luxo e presentes", comendo petiscos de suas respectivas culturas; Ricardo pediu para ouvir música árabe, e uma mulher foi devidamente enviada para entretê-lo, cantando e tocando harpa. Tendo conversado o dia todo, "eles partiram", nas palavras de uma testemunha ocular muçulmana, "em amizade e animados como bons amigos", embora os insistentes pedidos do Coração de Leão por uma reunião direta com Saladino fossem recusados.

Agora, pela primeira vez as negociações do rei com o inimigo tornaram-se de conhecimento público no acampamento cruzado, provocando uma crítica considerável. Uma testemunha ocular cristã observou que Ricardo e al-Adil "pareceram desenvolver uma espécie de amizade mútua", trocando presentes, inclusive sete camelos e uma excelente tenda. O sentimento geral entre os francos parece ter sido de que essa diplomacia era equivocada. Dizia-se que o Coração de Leão havia sido enganado pela fachada da generosidade e da boa vontade para que retardasse o avanço sobre Jerusalém – um erro "pelo qual ele foi muito responsabilizado e muito criticado" – e manobrado pelo irmão de Saladino, que "imobilizou o rei abertamente crédulo com sua astúcia". Esta imagem de Ricardo como peão atordoado, manipulado pelo astucioso agente político al-Adil, não bate com a descrição do Coração de Leão como diplomata em fontes muçulmanas. Na verdade, al-Athir, o cronista de Mossul, elogiou Ricardo abertamente, observando que "o rei (encontrou-se com al-Adil) como forma de um habilidoso estratagema".

De fato, o rei inglês parece ter sido um negociador capcioso. Um homem diferente teria se sentido travado pela contínua recusa de Saladino de diálogo direto, mas Ricardo procurou transformar este fator em vantagem. Em 9 de novembro enviou ao sultão uma mensagem engenhosa, capitalizando as concessões feitas semanas antes: "Você disse que garantia essas terras costeiras para seu irmão. Quero que você seja o árbitro entre ele e eu para dividir essas terras entre (nós)". Os cristãos precisariam "de um certo controle sobre Jerusalém", mas ele queria que "nenhuma crítica recaísse sobre (al-Adil) por parte dos muçulmanos, e nenhuma crítica sobre mim por parte dos francos". A intenção indireta e sub-reptícia de Ricardo era desviar toda a base das negociações, incentivando Saladino a se achar um árbitro magnânimo, e não um arquioponente. Pelo menos alguns dos conselheiros do sultão "ficaram muito impressionados com esta (atitude)".[86]

No campo da maquinação diplomática, contudo, Saladino era, no mínimo, igual a Ricardo. Por todo o outono, o sultão estivera em contato com Conrado de Montferrat, um fato que ele não fez nenhum esforço para esconder do Coração de Leão – na verdade, o enviado de Conrado ocasionalmente até "cavalgava com al-Adil, observando os francos enquanto os muçulmanos os engajavam em batalha", um espetáculo que, acreditava ele, motivou o rei inglês a redobrar seus próprios esforços na negociação. Procurando explorar a rixa entre Ricardo e o marquês, Saladino apelou para uma "exibição de hostilidade aberta para com os francos do além-mar", prometendo que, se Conrado atacasse Acre, ocupada pelos cruzados, ele seria recompensado com um principado independente incluindo Beirute e Sídon. O sultão manipulou as negociações com Ricardo e Conrado com desenvoltura, chegando a alojar seus respectivos enviados em partes diferentes de seu acampamento no mesmo dia, sempre objetivando, segundo as palavras de um de seus conselheiros "causar dissensão entre eles".

Em 11 de novembro, contudo, com os cruzados agora ameaçando Ramla, Saladino se mostrou disposto a negociar com seriedade. Ele reuniu seus conselheiros para debater os méritos relativos de forjar uma trégua com Conrado ou Ricardo. A força do marquês com certeza estava crescendo – ele agora tinha o apoio de boa parte da nobreza do antigo Reino latino –, mas, em última instância, era visto como menos confiável que o Coração de Leão. Em vez disso, o conselho apoiou um acordo com o rei inglês baseado numa divisão equitativa da Palestina que veria al-Adil e Joana casados e "sacerdotes cristãos nos santuários de Jerusalém". No final, talvez acreditando que tinha encurralado Saladino, Ricardo respondeu a essa oferta significativa com prevaricação. Para que a união fosse permitida, argumentou ele, o papa teria que dar sua bênção, e isso levaria três meses. Enquanto a mensagem estava sendo entregue, o Coração de Leão já estava preparando suas tropas para avançar contra Ramla e para além dela.[87]

OBJETIVO: TOMAR A CIDADE SANTA

No início de novembro de 1191, o trabalho de refortificar a região em torno de Yasur tinha sido terminado. Ricardo deu o próximo passo em direção a Jerusalém em 15 de novembro, levando o exército cruzado para uma posição entre Lydda e Ramla. Saladino retirou-se antes dele, deixando os dois locais – com suas defesas destruídas – para os francos e, nas semanas que se seguiram, retirou-se primeiro para Latrun e, em seguida, por volta de 12 de dezembro, refugiou-se na própria Jerusalém. Embora as forças muçulmanas continuassem a atormentar os latinos durante todo esse período, num certo sentido, pelo menos, o caminho para os portões da Cidade Santa agora estavam abertos.

Mas, mesmo com seus homens apressadamente reconstruindo Ramla, o Coração de Leão teve que enfrentar um novo inimigo: o inverno. Na planície aberta, seu início provocou uma terrível mudança no tempo. Açoitados pela chuva, congelando sob temperaturas que despencavam, os cruzados passaram seis semanas miseráveis estocando comida e armas em

Ramla, garantindo a linha de suprimentos até Jafa, antes de prosseguir seu caminho primeiro a Latrun e, então, tentando alcançar a pequena e desmantelada fortaleza perto de Beit Nuba, no sopé das colinas da Judeia, logo depois do Natal. Eles agora estavam a apenas 36 quilômetros de Jerusalém.

As condições do exército naquele dezembro eram aterradoras. Uma testemunha ocular escreveu:

> Estava frio e nublado... A chuva e o granizo nos açoitavam, fazendo cair nossos dentes. Perdemos muitos cavalos no Natal e, tanto antes como depois, muitos biscoitos foram perdidos, encharcados de água, muita carne de porco se estragou com as tempestades; as armaduras de escamas enferrujaram de tal modo que mal podiam ser limpas; as roupas apodreciam; as pessoas sofriam de inanição, de modo que estavam muito abatidas.

E, contudo, segundo todos os relatos, o moral entre os soldados rasos estava elevado. Depois de longos meses de luta, em alguns casos anos, agora estavam praticamente com seu objetivo diante dos olhos. "Eles tinham um desejo indescritível de ver a cidade de Jerusalém e completar sua peregrinação", observou um contemporâneo latino, enquanto um cruzado do exército relembrava: "Ninguém estava zangado ou triste... em todo lugar havia alegria e felicidade e (todos) diziam uns para os outros 'Meu Deus, agora nós estamos no caminho certo, guiados por vossa graça'". Um compromisso duradouro com a causa da guerra santa parece tê-los inspirado, mesmo em meio à angústia de uma campanha de inverno. Como seus antepassados cruzados de 1099, estavam prontos, até desesperados, para sitiar a Cidade Sagrada, apesar do risco e da privação envolvidos.[88]

A questão era se o rei Ricardo compartilhava desse fervor. Quando o novo ano de 1192 se iniciou, ele tinha uma decisão crucial a tomar. A cruzada levara quase dois meses para avançar apenas 48 quilômetros em direção a Jerusalém. A linha de comunicação com a costa ainda estava em ação, mas sujeita a ataques muçulmanos quase diários. Montar um cerco da cidade nessas condições, no rigor do meio do inverno, seria uma empresa gigantesca e uma enorme aposta. E, contudo, o grosso do exército latino claramente esperava que se fizesse um ataque.

Por volta de 10 de janeiro, o Coração de Leão convocou um conselho para debater a melhor maneira de agir. A chocante conclusão foi a de que a Terceira Cruzada deveria se retirar de Beit Numa, dando as costas para Jerusalém. Oficialmente, foi um poderoso *lobby* de templários, hospitalários e barões latinos nativos do Levante que persuadiu Ricardo. Os riscos de empreender um cerco enquanto Saladino ainda possuísse um exército de campo eram grandes demais, argumentaram eles, e, de qualquer modo, faltavam aos francos homens num número adequado para guarnecer a Cidade Santa mesmo se ela, por algum milagre, caísse. "(Estes) sábios não eram da opinião de que deveriam aquiescer aos desejos imprudentes das pessoas comuns (de sitiar Jerusalém)", lembrou um contemporâneo, e, em vez disso, aconselharam que a expedição "deveria retornar e fortificar Ascalão", cortando a linha de suprimentos de Saladino entre a Palestina e o Egito. Na verdade, o rei provavelmente tenha chamado como maioria desse conselho homens simpáticos às suas próprias opiniões e sabia muito bem quais seriam as recomendações. Por enquanto, pelo menos, Ricardo não estava com disposição de pôr em risco o destino de toda a guerra santa como decorrência de uma campanha arriscada. No dia 13 de janeiro, ele transmitiu a ordem de bater em retirada de Beit Nuba.

Esse foi um pronunciamento chocante, mas na pesquisa acadêmica recente a decisão de Ricardo tem sido vista de uma perspectiva positiva. Defendido por autores como John Gillingham, que considerava Ricardo um general astuto cuja tomada de decisões era governada pela realidade militar, e não pela fantasia piedosa, essa opinião sobre o Coração de Leão tem sido amplamente aceita, louvando-o por sua cautela estratégica. Hans Mayer, por exemplo, concluiu que "em vista da tática de Saladino, (a decisão de Ricardo) foi acertada".[89]

A verdade sobre essa questão nunca será conhecida. Uma testemunha cruzada mais tarde concluiu que os francos perderam uma enorme oportunidade de capturar Jerusalém porque não levaram em consideração "a aflição, o sofrimento e a fraqueza" das forças muçulmanas que guarneciam a cidade, e, até certo ponto, ela estava certa. Lutando por manter suas tropas exaustas em campo, Saladino havia sido forçado a debandar a maioria de seu exército depois de 12 de dezembro, deixando a Cidade Sagrada perigosamente pouco guardada.

Passaram-se dez dias antes que Abu'l Haija, o Gordo, chegasse com reforços egípcios. Durante todo esse período, um movimento decisivo e determinado de realizar um assalto a Jerusalém poderia ter derrubado a vontade de Saladino, fraturando seu já frágil controle da aliança muçulmana e mergulhando no caos o Oriente Próximo islâmico. Na média, contudo, Ricardo provavelmente estivesse certo em abrir mão dessa aposta imensa.

Mesmo assim, o Coração de Leão não escaparia da reprovação por sua conduta nessa fase da cruzada. Até hoje os historiadores têm ignorado uma característica fundamental de suas tomadas de decisão. Se em janeiro de 1192 era tão óbvio para os conselheiros militares de Ricardo, e provavelmente para o próprio rei, que a Cidade Santa era inconquistável e inatingível, por que essa mesma realidade não ficara aparente meses antes, antes mesmo de a cruzada deixar Jafa? O rei – o suposto mestre da ciência militar – com certeza teria reconhecido em outubro de 1191 que Jerusalém era um alvo militar quase impossível, que nunca poderia ser conservado. Escrevendo no início do século XIII, Ibn al-Athir tentou recompor o pensamento do Coração de Leão em Beit Nuba. Ele idealizou uma cena em que Ricardo pediu para ver um mapa da Cidade Santa; depois de se sentir conhecedor de sua topografia, o rei supostamente concluiu que Jerusalém não poderia ser tomada enquanto Saladino ainda comandasse um exército de campo. Mas isso é pouco mais que uma reconstrução imaginativa. O caráter e a experiência de Ricardo sugerem que ele teria cuidadosamente montado o quadro mais completo possível de inteligência estratégica antes de montar o avanço a partir de Jafa.

O Coração de Leão provavelmente pôs o pé na estrada para Jerusalém no final de outubro de 1191 com pouca ou nenhuma intenção de realmente efetuar um ataque à cidade. Isso significa que seu avanço foi efetivamente uma simulação – o componente militar de uma ofensiva combinada em que uma demonstração de agressão militar aumentaria o intenso contato diplomático. Ricardo, naquele outono e inverno, procurou testar a resolução e os recursos de Saladino, mas esteve sempre disposto a retroceder da borda da situação se uma oportunidade clara de vitória não se materializasse. Em tudo isto, o rei agiu segundo os melhores preceitos medievais de comando militar, mas não levou em conta a natureza distinta da guerra de cruzada.

O impacto da retirada sobre o moral dos cristãos e as perspectivas gerais da cruzada foi catastrófico. Até Ambrósio, o feroz apoiador do Coração de Leão, reconheceu que:

> (Quando) se percebeu que o exército devia retornar (não vamos chamar isso de retirada), então o exército, que estivera tão ansioso em seu avanço, ficou tão desanimado, que, desde quando Deus criou o tempo, não se viu um exército tão abatido e tão deprimido... Nada restou da alegria que eles tinham quando estavam para ir ao (Santo) Sepulcro... Todos amaldiçoaram o dia em que haviam nascido.

Agora uma turba desalinhada e assombrada, o exército se arrastou de volta para Ramla. Dali, a depressão e a desilusão dividiram a expedição. Hugo de Borgonha e muitos dos francos a abandonaram. Alguns voltaram a Jafa, outros para Acre, onde havia abundância de comida e prazeres materiais. Ricardo ficou para comandar uma força severamente enfraquecida em direção a Ascalão, a sudoeste.[90]

REAGRUPANDO-SE

O Coração de Leão chegou ao porto arruinado em 20 de janeiro de 1192, debaixo de uma terrível tempestade que abateu ainda mais o moral da tropa. Enquanto os cruzados lutavam por aceitar sua retirada de Jerusalém, Ricardo fez o que pôde para se recuperar do primeiro fracasso real de sua campanha. Ele colocou as tropas remanescentes para reconstruir Ascalão, determinado a resgatar algo daquele lúgubre inverno fazendo um avanço prático e visível na costa. Henrique de Champagne havia permanecido leal a seu tio e emprestou-lhe ajuda para o projeto, mas refortificar uma cidade tão devastada era um trabalho hercúleo – uma tarefa que, em última instância, exigiria cinco meses de trabalho duro e custaria uma fortuna a Ricardo.

No final de fevereiro, uma crise irrompeu no norte da Palestina – e revelou divisões duradouras entre os francos. Embora a guerra pela Terra Santa estivesse longe de terminada, os latinos começaram a lutar abertamente pelo controle de Acre. Marinheiros genoveses tentaram assumir o controle da cidade, provavelmente com a conivência de Conrado de Montferrat e Hugo de Borgonha, e foi só com a resistência ferrenha dos aliados de Ricardo provenientes de Pisa que se impediu que o porto fosse unido a Tiro. Enfurecido pelo que viu como um deslavado ato de traição, Ricardo viajou ao norte para parlamentar com Conrado, e os dois se encontraram a meio caminho entre Acre e Tiro. "Longas discussões" foram aparentemente realizadas, mas nenhum acordo duradouro pôde ser arquitetado, e o marquês voltou para Tiro.[91]

A fortuna militar de Ricardo havia sofrido um revés nas colinas da Judeia, e agora, na costa norte, seu talento para a diplomacia de pés no chão também pareceu desertá-lo. Frustrado por não ter colocado Conrado em submissão, o Coração de Leão imediatamente instituiu uma assembleia e fez com que o marquês fosse oficialmente privado da partilha dos ganhos do reino de Jerusalém a ele acordada no verão de 1191. Na verdade, porém, este foi pouco mais que um gesto vazio. Conrado tinha duas vantagens reveladoras: um inatacável centro de poder em Tiro e um crescente grupo de apoio entre os remanescentes barões francos do Ultramar, como Balian de Ibelin. O marquês pode ter sido um oportunista desonesto que só pensava nele mesmo, disposto a negociar com Saladino contra os interesses da cruzada, mas seu casamento com Isabela de Jerusalém deu-lhe o direito a reclamar o trono. Ele também tinha se mostrado um líder mais forte que Guy de Lusignan (seu rival pela coroa do Reino latino) e, ao contrário de Ricardo, mostrava todos os sinais de estar comprometido com uma carreira permanente no Levante. Naquele fevereiro, o Coração de Leão preferiu ignorar o óbvio, mas acabou por reconhecer a realidade incômoda. Conrado não podia ser nem vencido nem dobrado e, portanto, teria que ser acomodado em algum posto político e militar duradouro do Oriente Próximo.

Por essa época, os canais de negociação entre Ricardo e Saladino foram reabertos. O sultão, mais uma vez, foi representado por seu irmão al--Adil, enquanto Hunfredo de Toron falou em favor do Coração de Leão.

As reuniões foram realizadas perto de Acre no final de março e, num certo ponto, pareceu que os termos – incluindo uma partilha de Jerusalém – poderiam realmente ser acordados. No início de abril, contudo, Ricardo interrompeu o diálogo e velejou para o sul para passar a Páscoa em Ascalão. O motivo dessa súbita mudança de política é incerto, mas é provável que o rei tivesse ouvido rumores de que os exércitos exauridos de Saladino estavam mostrando sinais de insubordinação e que o sultão também estava enfrentando uma insurreição muçulmana na Mesopotâmia. Aproveitando-se dessa possível vulnerabilidade, Ricardo parece ter se convencido de que agora não precisava concordar com mais nada além dos termos mais vantajosos. Uma vez de volta a Ascalão, começou a se preparar para lançar uma nova ofensiva.

CRISE E TRANSFORMAÇÃO

Em 15 de abril de 1192, Roberto, prior de Hereford, chegou a Ascalão depois de velejar da Europa para o Oriente. Ele trazia notícias que arruinaram todos os planos de Ricardo. Guilherme de Longchamp, assistente e representante do rei, havia sido exilado da Inglaterra pelo príncipe João, e o ambicioso irmão de Ricardo agora estava tratando de incrementar seu poder no reino. Depois de dez meses de cruzada na Terra Santa, isso foi um forte lembrete dos deveres e obrigações de Ricardo como monarca do reino angevino. O Coração de Leão reconheceu imediatamente que, com a crise aumentando no Ocidente, não deveria permanecer no Levante; mas ele tampouco desejava abandonar a cruzada e voltar para casa como fracassado. Ricardo parece ter julgado que tinha tempo para dedicar mais uma temporada de lutas pela causa da cruz. Mas para levar a guerra palestina a uma conclusão rápida e bem-sucedida, precisaria unificar as disparatadas forças latinas espalhadas pela Terra Santa.

Reconciliado com o consenso, o Coração de Leão convocou um conselho de nobres cruzados em 16 de abril. Ele anunciou que, à luz dos eventos na Inglaterra, logo poderia ter que partir e instruiu a assembleia a resolver a questão da coroa de Jerusalém. Uma decisão unânime foi alcançada, quase com a tácita e certa aprovação de Ricardo, para oferecer o reino a Conrado de Montferrat. Guy de Lusignan, por seu lado, deveria ser compensado satisfatoriamente pela perda de seu status – Ricardo providenciou que os templários vendessem a Guy a ilha de Chipre por 40 mil besantes, um golpe que permitiu que a dinastia Lusignan estabelecesse uma poderosa e duradoura autoridade no Mediterrâneo Oriental. Henrique de Champagne foi despachado de navio para Tiro a fim de informar o marquês de sua súbita promoção e, o que era mais importante, persuadi-lo a unir suas forças, mais as de Hugo de Borgonha, ao exército cruzado reunido em Ascalão, para que a guerra santa pudesse ser travada.

Em pouquíssimos dias, Conrado recebeu as notícias e ficou totalmente extasiado. Depois de meses de espera nas coxias, sempre procedendo com cuidado e astúcia, seus sonhos de construir um caminho para o poder real tinham se realizado. A despeito de sua antiga intransigência e hesitação, o marquês iniciou imediatamente os preparativos para uma campanha militar. Sem que Ricardo e os francos soubessem, também enviou uma mensagem urgente a Saladino, explicando que um acordo inesperado tinha sido alcançado entre os latinos, e ameaçando que, a menos que Saladino finalizasse "um acordo (com Conrado) nos próximos dias", um confronto em escala total se seguiria. Segundo testemunhas muçulmanas da corte do sultão, Saladino levou essa possibilidade tremendamente a sério. Ameaçado por uma iminente agitação social na Mesopotâmia, "o sultão acreditou... que o melhor plano era acertar a paz com o marquês", e no dia 24 de abril despachou um enviado para Tiro para finalizar os termos. Nos últimos dias de abril de 1192, o rei Ricardo e Saladino acreditavam que tinham descoberto maneiras de concluir a guerra pela Terra Santa: um, por meio da batalha renovada; o outro, por meio da paz. Os planos de ambos estavam centrados em Conrado de Montferrat.[92]

Na tarde de 28 de abril, Conrado viajou para a residência do cruzado franco Filipe, bispo de Beauvais, em Tiro, para jantar. Os dois pareciam ter estabelecido uma amizade ao longo da cruzada, e Conrado estava num estado de espírito relaxado e celebratório. Voltando para casa através da cidade tarde da noite, protegido por dois guardas, o marquês passou pelo prédio do Câmbio e entrou numa rua estreita.

> (Lá) dois homens estavam sentados em cada lado da rua. À medida que (Conrado) se pôs no meio deles, eles se levantaram para encontrá-lo. Um deles se aproximou e

mostrou-lhe uma carta; o marquês estendeu a mão para apanhá-la. O homem sacou uma faca e a enterrou em seu corpo. O outro homem, que estava do outro lado, pulou em seu cavalo por trás e o apunhalou de lado, e ele caiu morto.

Descobriu-se posteriormente que os dois atacantes de Conrado eram membros da ordem dos Assassinos, enviados por Sinan, o Velho da Montanha. Um deles foi decapitado imediatamente; o outro foi capturado, interrogado e, em seguida, arrastado pelas ruas até morrer. Mas, embora sua ligação com os Assassinos tivesse sido estabelecida, o mandante original do ataque permaneceu incerto. Hugo de Borgonha e os franceses de Tiro espalharam o boato de que o rei Ricardo havia encomendado o assassinato, enquanto em algumas partes do mundo muçulmano dizia-se que Saladino estava envolvido. Dados os acontecimentos recentes, contudo, nenhum dos dois governantes na verdade teria muito a ganhar com a morte de Conrado. Neste caso, a verdade é impossível de ser determinada – Sinan pode até ter agido independentemente para eliminar o marquês, por considerá-lo uma ameaça de longo prazo ao equilíbrio de poder no Levante.[93]

A situação política entre os latinos estava em desarranjo. Hugo de Borgonha tentou assumir o controle de Tiro, mas parece ter sido frustrado por Isabela, a viúva de Conrado, herdeira do reino de Jerusalém. Com a ameaça de outra luta interna, um novo acordo foi rapidamente arranjado. O conde Henrique de Champagne foi escolhido como candidato de consenso – pois como sobrinho do rei Ricardo e de Filipe Augusto, representava os interesses de angevinos e capetíngios – e em uma semana casaram-no com Isabela e ele foi eleito monarca titular da Palestina franca.

A extensão exata do envolvimento do Coração de Leão no engendramento dessa rápida solução não fica clara. De modo geral, contudo, a nova ordem adequava-se a seus interesses e aos da Terceira Cruzada. A indicação de Henrique de Champagne finalmente uniu todos os exércitos latinos da Palestina – dos francos nativos do Ultramar às tropas francesas de Hugo de Borgonha e as forças angevinas de Ricardo. Dada a recente história de aliança, também havia uma boa chance de os dois conseguirem cooperar de maneira efetiva.

Durante o mês de maio de 1192, o Coração de Leão tratou de reforçar sua presença no sul da Palestina, conquistando a fortaleza de Darun do controle dos muçulmanos, enquanto o trabalho de refazer as fortificações de Ascalão se aproximava do fim e o conde Henrique e o duque Hugo reuniam exércitos ao norte. Com o moral cristão revigorado, o palco parecia estar pronto para o início de uma campanha decisiva – embora, dada a recente expansão de Ricardo pela costa sul em direção ao Egito, o objetivo de qualquer aventura ainda pudesse estar sujeito ao debate.

Em 29 de maio, contudo, outro mensageiro angevino chegou da Europa com um despacho confirmando os piores temores do Coração de Leão. Desde que seu rival Filipe Augusto, da França, havia deixado a cruzada em meados do verão de 1191, Ricardo estivera profundamente preocupado com a possibilidade de os capetíngios ameaçarem o território angevino em sua ausência. Ele agora soube que o rei Filipe havia feito contato com o príncipe João, e que, juntos, os dois estavam tramando algo. O enviado advertiu que, a menos que alguma coisa fosse feita "(para deter) essa abominável traição, havia o perigo de que, muito em breve, a Inglaterra escaparia da autoridade de Ricardo". Dizem que o Coração de Leão ficou "perturbado a ouvir essa notícia e... se sentou por um longo tempo em silêncio, revolvendo as coisas em sua mente e pesando o que deveria ser feito". Em abril, ele havia resolvido permanecer na Terra Santa, mas essa última notícia grave do Ocidente reabriu a questão. Segundo seu apoiador Ambrósio, Ricardo ficou "melancólico, abatido e entristecido... com o pensamento confuso".[94] O grande guerreiro da cristandade havia atingido o momento crítico de decisão – ele continuaria a lutar como cruzado, ou atenderia o chamado de seu reino angevino e voltaria a ele como rei?

18. RESOLUÇÃO

Com a aproximação do verão de 1191, Saladino começou a reunir seus exércitos, preparando o Islã para uma renovada ofensiva contra os cristãos. Nos tempos anteriores, o sultão havia enfrentado uma série de reveses desastrosos. Havia observado em impotente humilhação a queda de Acre em 12 de julho de 1191, e então sofrera o choque da execução a sangue frio da guarnição muçulmana da cidade pelo rei Ricardo em 20 de agosto. Todos os esforços para deter a marcha do Coração de Leão para o sul, a partir de Jafa, haviam fracassado e, em 7 de setembro, em Arsuf, os exércitos de Saladino haviam sido afugentados do campo de batalha. Forçado a reconsiderar sua estratégia, o sultão partiu para a defensiva, demolindo as fortalezas ao sul da Palestina, seguindo o avanço dos cruzados para o interior, embora, no final, tivesse que se confinar em Jerusalém por volta de 12 de dezembro, para lá aguardar o ataque.

Desde a glória de suas vitórias em Hattin e na Cidade Santa em 1187, Saladino havia permanecido resoluto em seu compromisso com a *jihad* – com sua dedicação tendo aumentado. Mas ainda assim, ele foi gradativamente perdendo a iniciativa para os francos. Debilitado pela doença recorrente, paralisado pelo abatimento do moral e pela exaustão física de suas tropas, o sultão fora lentamente levado para a beira da derrota. Então, em 12 de janeiro de 1192, os cruzados bateram em retirada de Beit Nuba, oferecendo ao Islã um novo alento de esperança e presenteando Saladino com a oportunidade de se reagrupar e recuperar.

A ESTRATÉGIA AIÚBIDA NO INÍCIO DE 1192

Tendo sobrevivido ao avanço cristão sobre Jerusalém, Saladino avaliou sua posição nos primeiros meses de 1192. O reino aiúbida estava num preocupante estado de ruína. Depois de anos negligenciando o gerenciamento de seu tesouro, os recursos financeiros do sultão eram na realidade superestimados, e sem um pronto suprimento de dinheiro ele lutava para pagar os homens e os materiais necessários para a guerra. A continuada prosperidade do Egito oferecia uma corda de salvação, mas a reocupação de Ascalão por Ricardo impunha uma ameaça considerável às comunicações entre a Síria e a região do Nilo.

Estes contratempos econômicos estavam ligados a uma segunda preocupação: a diminuída disponibilidade e a evanescente lealdade de seus exércitos. Durante a quase constante campanha dos quatro anos precedentes, Saladino havia feito enormes solicitações de tropas provenientes de seus domínios no Egito, na Síria e em Jazira. Da mesma forma, ele havia solicitado demais de seus aliados na Mesopotâmia e Diar Baquir. Era um testemunho do notável carisma de Saladino como líder, da eficiência de sua propaganda política e religiosa e do apelo devocional da *jihad* que até rivais potenciais como o zênguida Izz al-Din, de Mossul, e Imad al--Din Zengui, de Sinjar, continuassem a honrar seus compromissos com a guerra santa, respondendo aos chamados às armas do sultão aiúbida. Mas essas solicitações não podiam ser atendidas indefinidamente. Se o conflito na Palestina prosseguia intenso, seria apenas uma questão de tempo antes que os laços de lealdade e propósito comum que uniam o mundo muçulmano começassem a se romper. Foi por isso que Saladino assumiu o risco de debandar seu exército em dezembro de 1192.

Para o desencanto do sultão, esses muitos problemas eram provocados pelas primeiras centelhas de deslealdade dentro de sua própria família. Já em março de 1191, Saladino havia permitido que seu sobrinho Taqi al-Din, de sua confiança e homem capaz, tomasse posse de uma parcela do território da Jazira, a leste do Eufrates, que incluía as cidades de Edessa e Harã. Em novembro desse mesmo ano, no meio do avanço latino contra a Cidade Santa, o sultão ficou profundamente entristecido pela notícia da morte de Taqi al-Din devido a uma doença. No início de 1192, contudo, al-Mansur Muhammad, o filho adulto de Taqi al-Din, começou a exibir o que um dos auxiliares de Saladino descreveu como "sinais de rebelião". Temendo que pudesse ser privado de parte da herança, al-Mansur começou a bajular seu tio-avô, o sultão, para confirmar seus direitos às terras da Jazira ou garantir outro território na Síria. Essa aproximação com o tio implicava uma ameaça evidente de que, em caso de frustração, al-Mansur incitaria uma insurreição contra o poder aiúbida no nordeste do reino.

Saladino ficou apavorado com essa falta de fidelidade de um membro de sua própria linhagem de sangue, e seu humor não melhorou quando al-Mansur tentou usar al-Adil como mediador – na verdade, a tática de conivência aparentemente deixou o sultão "tomado pela ira". O assunto revelou-se uma distração problemática, que ribombou até o início do verão de 1192. Saladino inicialmente respondeu enviando seu filho mais velho al-Afdal para subjugar a Jazira em abril, dando-lhe o poder de pedir mais ajuda a seu irmão al-Zahir em Alepo, se necessário. No final de maio, contudo, o sultão acedeu. Al-Adil pareceu ter aplicado uma certa pressão como árbitro, e o emir Abu'l Haija também advogou criticamente em favor da leniência durante uma assembleia reunida para discutir o caso, observando que não era possível lutar contra irmãos muçulmanos e "infiéis" ao mesmo tempo. Saladino garantiu as terras de al-Mansur ao norte da Síria e garantiu direitos a al-Adil sobre Harã e Edessa. Contudo, essa reconciliação um tanto abrupta provocou certa discordância por parte de al-Afdal. Enraivecido pela hesitação do pai e pela decisão de recompensar al-Adil, al-Afdal mostrou uma notável relutância em voltar à Palestina, permanecendo primeiro em Alepo e depois em Damasco, privando Saladino de guerreiros.[95]

No início de 1192, o sultão enfrentou a insegurança financeira, diminuição de tropas e rebeliões. Não é de surpreender que ele tenha aprimorado sua abordagem da guerra santa. Durante o outono anterior, ele havia adotado uma estratégia mais defensiva, evitando confrontos decisivos com os francos, mas ainda mantendo um contato relativamente estreito com o inimigo. A partir da primavera de 1192, o sultão retirou quase todos os seus soldados do campo de batalha. Impedindo escaramuças ocasionais e ataques oportunistas, os exércitos aiúbidas mantiveram-se em posições defensivas por toda a extensão da Palestina, esperando repelir qualquer ataque cristão. Numa atitude relacionada a essa, Saladino instituiu um amplo programa de trabalho para reforçar suas principais fortalezas e as muralhas de Jerusalém.

Esses preparativos refletiam uma mudança fundamental de atitude. Em 1192 Saladino evidentemente concluiu que não mais podia esperar, de maneira realista, conseguir a vitória plena contra a Terceira Cruzada. Essa conclusão levou-o a retomar o processo diplomático – estabelecendo o diálogo com Ricardo I e Conrado de Montferrat. Ela também forçou o sultão a reavaliar sua posição de negociador. Um acordo baseado numa divisão da Terra Santa, em que os latinos teriam o controle de uma faixa costeira do território, agora parecia aceitável. Contudo, Saladino ainda tinha duas firmes exigências: o Islã devia conservar o domínio de Jerusalém; e Ascalão, o portão para o Egito, devia ser abandonado.

A predominante estratégia de defesa e diplomacia de Saladino agora se apoiava em um único objetivo: sobreviver à Terceira Cruzada. Ele sabia que os cristãos latinos que tinham vindo do Ocidente aos milhares para lutar uma guerra de reconquista um dia voltariam para suas casas. O rei Ricardo, em particular, não podia se dar ao luxo de ficar no Levante indefinidamente. O objetivo de Saladino era suportar a tormenta: limitar suas baixas onde fosse possível, evitar o confronto decisivo a todo custo; mas levar a guerra palestina a uma conclusão rápida, antes que a máquina de guerra aiúbida entrasse em colapso. Então, depois que os cruzados velejassem de volta às praias ocidentais, o sultão poderia se voltar aos pensamentos de recuperação e reconquista.

O SEGUNDO AVANÇO DOS CRUZADOS CONTRA JERUSALÉM

Saladino fez o que pôde para se preparar para um ataque contra Jerusalém ou Egito. No final de maio e início de junho de 1192, tropas de todo o Oriente Médio começaram a se reunir na Cidade Santa. O sultão também organizou alguns grupos de batedores, um deles sob o comando de Abu'l Haija, para monitorar os movimentos dos francos, que agora tinham sua base na região de Ascalão.

Indecisão

Em 6 de junho Saladino recebeu um alarme urgente de que os cruzados estavam marchando em massa, a partir de Ascalão, na direção nordeste – um movimento que obviamente anunciava um avanço contra Jerusalém. Parecia que Ricardo e os latinos tinham resolvido fazer uma segunda tentativa para cercar e capturar a Cidade Santa. De fato, Ricardo tinha passado os primeiros dias de junho num torturado estado de indecisão. Muito abalado pela perspectiva de uma aliança na Europa entre seu ganancioso irmão e Filipe Augusto, o Coração de Leão estava dividido entre retornar ao Ocidente e permanecer no Levante para cumprir seu voto de cruzado. O dilema do rei inglês também envolvia a espinhosa questão de Jerusalém, mas Ricardo ainda considerava que a cidade era um alvo não realista. Em alguns aspectos, os francos estavam em melhor situação para uma campanha no interior que seis meses antes. Agora unidos, eles podiam contar com um tempo estável de verão e usar uma rede de fortificações reconstruídas estabelecida no final de 1191. Mas, em todos os outros aspectos, a proposição não havia mudado – o desafio permanecia quase insuperável, com riscos imensos. Mesmo se, por algum milagre, o ataque fosse bem-sucedido, Jerusalém seria quase impossível de conservar. Ricardo, portanto, preferia um ataque ao Egito: um golpe que ameaçaria as próprias bases do Império Aiúbida, e também forçar Saladino a concordar com uma paz nos termos estabelecidos pelo Coração de Leão. Em termos militares, o plano de Ricardo fazia sentido, mas ignorava a dimensão de impulso devocional da guerra de cruzada. Se o rei pressionasse por sua estratégia – conquistando os corações e mentes dos cristãos, persuadindo os francos de que o caminho para a vitória final passava pelo Nilo –, ele não poderia recorrer a nenhum dos equívocos presenciados no outono e inverno de 1191. Ele teria que oferecer uma liderança clara e convincente, comandando com visão inabalável e força de vontade.

Em vez disso, depois de 29 de maio, Ricardo vacilou, retirando-se para uma contemplação privada para ruminar suas opções e estratagemas. E, enquanto fazia isso, os eventos começaram a sobrepujá-lo. A opinião corrente no exército cruzado estava se cristalizando. Na ausência do Coração de Leão, um grupo de nobres latinos, presumivelmente comandado por Hugo de Borgonha, realizou um conselho em 31 de maio e decidiu marchar sobre Jerusalém com ou sem o monarca angevino. A notícia dessa deliberação vazou, provavelmente de propósito, espalhando-se de imediato pelo exército e provocando uma reação "selvagemente alegre" que fez as tropas dançarem até depois da meia-noite.

Até o mais ardente defensor de Ricardo, Ambrósio, admitiu que o rei ficou paralisado a essas alturas, afirmando que ele "não ficou nem um pouco feliz, mas prostrado, muito aborrecido com as notícias que tinha acabado de ouvir", acrescentando que "ele continuamente ponderava (os acontecimentos na Inglaterra) em sua tenda e se entregava a essa ponderação". Enquanto o Coração de Leão vacilava e os dias se passavam, uma potente onda de entusiasmo varreu o acampamento, com um pensamento em seu bojo: o chamado de Jerusalém. Segundo Ambrósio, Ricardo experimentou uma forma de epifania espiritual no dia 4 de junho, tendo lutado com sua consciência. Como resultado, o rei abruptamente proclamou que "ficaria na (Terra Santa) até a Páscoa (1193) sem voltar e que todos se preparassem (para lançar o cerco) a Jerusalém". Talvez o Coração de Leão realmente tenha tido uma forte mudança de determinação, mas é muito mais provável que, diante da crescente pressão pública, ele tenha se inclinado diante do sentimento popular. Ele certamente parece ter tido, até então, ambições por uma campanha egípcia e continuava a ter profundas dúvidas quanto à viabilidade de um assalto à Cidade Santa. Não obstante, concordou em avançar pela Judeia. Essa capitulação assinalava, pelo menos de momento, que Ricardo havia perdido o controle da Terceira Cruzada. Assim, mesmo com Saladino interpretando a mobilização franca como sinal de consenso de um novo intento em 6 de junho, graves fissuras estavam começando a aparecer na estrutura do comando cristão.[96]

A ameaça apresentada

Uma vez iniciada, a marcha dos cruzados para Jerusalém avançou com notável rapidez. Em 9 de junho, os francos tinham chegado em Latrun e, no dia seguinte, continuaram para Beit Nuba. No outono de 1191, os cristãos tinham levado meses para chegar a esse mesmo ponto. Agora, depois de apenas cinco dias, mais uma vez eles estavam a uma surpreendente distância da Cidade Santa, a meros dezenove quilômetros de suas santificadas muralhas. Saladino ordenou aos grupos de ataque muçulmanos que dificultassem a quase constante corrente de comboios latinos de suprimentos que entrava pelo interior a partir de Jafa, mas, com exceção de assaltos intermitentes, não fez nenhuma tentativa séria de ameaçar o principal campo avançado dos cruzados em Beit Nuba. Em vez disso, o sultão começou a posicionar suas tropas dentro de Jerusalém antes do ataque iminente.

Depois do primeiro ímpeto de movimento, contudo, a ofensiva franca parecia ter estagnado. Na verdade, esse atraso foi inicialmente causado pela decisão dos latinos de esperar que Henrique de Champagne trouxesse mais reforços de Acre. Mas, à medida que os dias passavam, as profundas divisões entre os cruzados que haviam permanecido submersas em Ascalão começaram a aflorar, e os francos logo estavam travados num furioso debate sobre estratégia e liderança.

Em 20 de junho, os batedores de Saladino informaram que um grande contingente de cruzados tinha saído de Beit Nuba. Isso levantou suspeitas no sultão, pois naquele mesmo momento ele estava esperando a iminente chegada de uma enorme caravana de suprimentos do Egito. Preocupado com que os francos pudessem tentar interceptar essa coluna e se apropriar dos recursos vitais que ela continha, Saladino imediatamente despachou tropas para advertir o comboio muçulmano. Os dois grupos aiúbidas se reuniram com sucesso e avançaram cuidadosamente para o interior em direção a Hebron, quando, pouco depois do romper da aurora do dia 24 de junho, Ricardo I lançou um ataque intenso. Como Saladino temera, o Coração de Leão tinha sido alertado dos movimentos da caravana por um de seus espiões e, animado pela perspectiva de uma rica pilhagem, imediatamente correu em direção sul. O rei angevino passou três dias seguindo a pista da caravana por meio de sua rede de informantes locais e então lançou um preciso ataque surpresa. Depois de uma violenta luta, os latinos prevaleceram. O grosso da escolta muçulmana escapou, mas deixou para trás um verdadeiro amontoado de espólio: mercadorias preciosas, incluindo especiarias, ouro, prata e sedas; armas e armaduras; tendas; suprimentos de alimento, inclusive biscoitos, trigo, farinha, pimenta, açúcar e canela; além de "um grande número de bebidas alcoólicas e remédios". E, o que talvez tenha sido mais significativo, os cristãos também tomaram posse, literalmente, de milhares de camelos, dromedários, cavalos, mulas e asnos.

As notícias do desastre causaram um verdadeiro alarme em Jerusalém. Saladino não só havia perdido uma pletora de suprimentos muito necessários – que agora favoreceriam o inimigo –, como também reconhecia que os latinos podiam usar o influxo de animais de carga para levar mais recursos para o interior a partir de Jafa. Quando a força expedicionária cruzada voltou a Beit Nuba em 29 de junho, o sultão começou "a preparar os meios para suportar um cerco". Baha al-Din, que então estava na Cidade Santa, registrou que seu mestre "começou a envenenar as fontes de água fora de Jerusalém, destruindo os poços e cisterna, de modo que não restasse água potável em torno de Jerusalém", acrescentando que o sultão também "reuniu tropas de todo seus rincões e terras".[97]

A escolha

Nos primeiros dias de julho de 1192, parecia não haver dúvida na mente de Saladino de que os francos estavam para iniciar seu assalto final contra Jerusalém. O momento do confronto decisivo – a crise que ele tanto quisera evitar – estava diante dele. No dia 2 de julho, uma quinta-feira, o sultão reuniu seus emires mais confiáveis para discutir um plano de ação. A reunião teve um caráter solene e de rostos fechados, com Saladino cercado pelos comandantes e conselheiros que o haviam servido durante longos anos de guerra e conquista. Abu'l Haija, o Gordo, estava lá, embora sua lendária corpulência agora tivesse atingido tal estado que ele tinha dificuldade para caminhar e precisava de "um banquinho para se sentar quando estava na presença do sultão".

Baha al-Din também estava presente, e, de acordo com seu relato, Saladino tratou de instilar um sentimento de total determinação entre seus lugares-tenentes, lembrando-os repetidamente de seus deveres e responsabilidades: "Saibam hoje que vocês são o exército do Islã e seu baluarte... Só vocês, entre os muçulmanos, podem enfrentar o inimigo, (e) os muçulmanos de todas as terras dependem de vocês". Em resposta, os emires afirmaram sua disposição de lugar até a morte por Saladino, seu senhor e mestre, e afirmaram que o coração do sultão ficou "muito alegre".

Ainda naquele dia, contudo, depois de a reunião ter se dissolvido, Saladino recebeu uma missiva particular de Abu'l Haija advertindo-o de que, sob a aparência de lealdade e união, a insurreição estava fermentando. Muitos, dentro do exército, opunham-se a "preparar(-se) para um cerco, temerosos de que a catástrofe de Acre pudesse se repetir". Também havia o perigo real de que o longo ressentimento entre os curdos e turcos do exército de Saladino pudesse se transformar em conflito aberto. O conselho de

Abu'l Haija era de que o sultão tirasse o grosso de seus exércitos da Cidade Santa enquanto ele ainda tinha essa oportunidade, deixando para trás apenas uma guarnição simbólica.

Naquela noite, o sultão convocou Baha al-Din e revelou o conteúdo da mensagem de Abu'l Haija. Baha al-Din lembrou que "Saladino sentia uma preocupação por Jerusalém que poderia mover montanhas e que ele estava angustiado devido a essa mensagem. Eu fiquei em vigília com ele naquela noite, uma noite inteiramente gasta com as preocupações da guerra santa". Quando a aurora se aproximava, Saladino finalmente decidiu, com o coração pesado, deixar Jerusalém – "ele havia sido tentado a ficar pessoalmente, mas então seu bom senso rejeitou essa ideia devido ao risco para o Islã que ela envolvia". A escolha havia sido feita; pela manhã, no dia 3 de julho, uma sexta-feira, as preparações para o êxodo tiveram início. Saladino aproveitou a oportunidade para visitar o *al-Haram al-Sharif*,[b] e lá comandar uma última oração de sexta-feira na sagrada mesquita de Al-Aqsa, onde cerca de quatro anos antes ele havia supervisionado a instalação do glorioso púlpito triunfante de Nur al-Din. Baha al-Din escreveu: "Eu vi o sultão se prostrar e dizer algumas palavras, enquanto suas lágrimas tombavam sobre o tapete de oração".

Mas, então, à medida que a noite se aproximava, surpreendentes e inesperadas notícias chegaram – notícias que mudaram os planos de Saladino e reformularam toda a guerra pela Terra Santa. Jurdik, o emir sírio no comando da guarda avançada aiúbida, informou que os francos estavam num evidente estado de confusão. Sua mensagem descreveu como, naquele dia, "o inimigo aumentado estava a cavalo no campo e, então, voltou para suas tendas", acrescentando que "enviamos espiões para descobrir o que eles pretendem". Na manhã seguinte, 4 de julho de 1192, cinco anos depois da Batalha de Hattin, os exércitos da Terceira Cruzada levantaram acampamento, deram as costas para Jerusalém e começaram a bater em retirada em direção a Ramla. Em meio a grande "prazer e alegria", ficou claro que a Cidade Santa tinha sido salva.[98]

---

b   O Monte do Templo (em hebraico: תיבה רה, transl. Har Ha-Bayit), em alusão ao antigo templo, conforme é conhecido pelos judeus e cristãos, também chamado Nobre Santuário (الحرم الشريف, transl. al-Ḥaram al-Sharīf) pelos muçulmanos. (N.T.)

O fracasso franco

A partida dos cruzados deixou os muçulmanos num estado de alegre descrença. O que teria causado essa súbita reviravolta? Os agentes de Jurdik só conseguiram estabelecer uma versão confusa dos eventos, registrando uma disputa entre Ricardo e os francos. De fato, as sementes da retirada franca já haviam sido lançadas em Ascalão, quando Ricardo perdeu o controle dos cruzados e aceitou as exigências populares de um segundo avanço para o interior. Quando a expedição alcançou Beit Nuba em 10 de junho, logo ficou evidente que o Coração de Leão não tinha nenhuma real intenção de sitiar Jerusalém, embora os francos estivessem determinados a tentar um ataque. Em 17 de junho, os líderes cruzados se reuniram para debater a questão. Até duas fontes cristãs, de testemunhas oculares, que tendiam totalmente em favor de Ricardo I, admitiram francamente que o rei se opunha de maneira feroz a qualquer novo avanço. O Coração de Leão aparentemente apresentou três argumentos convincentes de que o cerco não era realista: a vulnerabilidade da linha de suprimentos latina até a costa; a enorme proporção das defesas da Cidade Santa; e o acesso de Saladino a detalhes com relação ao poderio e os movimentos dos cristãos. O rei também afirmou sem rodeio que não tinha absolutamente vontade alguma de levar os exércitos cruzados à "terrível desgraça" pela qual ele seria "para sempre responsabilizado, execrado e menos amado". Essa notável admissão sugere que Ricardo não estava simplesmente considerando os grandes interesses dos cruzados, mas era movido basicamente pelas preocupações com sua própria reputação. O rei tinha obviamente formulado essa opinião quando ainda estava em Ascalão, pois agora advogava uma mudança de estratégia, recomendando que os latinos se comprometessem imediatamente com uma campanha no Egito – convenientemente, ele já tinha uma frota aguardando em Acre para levar suprimentos até o Nilo, e ele prometeu pagar setecentos cavaleiros e dois mil soldados de seu próprio bolso, e oferecer apoio financeiro a quaisquer outros participantes. Esse era o esquema que Ricardo poderia ter promovido em Ascalão se não tivesse sido perturbado pela hesitação e a dúvida.

Entretanto, o Coração de Leão agora havia permito que o exército cruzado se pusesse em marcha a apenas algumas horas de Jerusalém. Nesta situação, qualquer tentativa de colocar o realismo militar acima da dedicação piedosa encontraria dificuldade. Mesmo assim, ele tentou impor seu plano, instituindo o que se revelou um conselho manipulado que, sem nenhuma surpresa, concluiu que "o maior bem seria conquistar (o Egito)". Quando Hugo de Borgonha e os francos rejeitaram esse anúncio, declarando que "eles só avançariam se fosse para sitiar Jerusalém", um impasse se criou.[99]

Tendo permitido que a Terceira Cruzada chegasse a esse terrível impasse, a resposta do Coração do Coração de Leão foi espantosamente ineficaz. Num ato de débil petulância, ele simplesmente renunciou à posição de comandante em chefe, afirmando que permaneceria com a expedição, mas não mais a comandaria. Talvez fosse um malabarismo político, destinado a surpreender e silenciar as vozes dissidentes, mas se essa era a intenção, não produziu efeito. Em muitos aspectos, ao abjurar suas responsabilidades naquela crítica conjuntura, Ricardo talvez estivesse meramente reconhecendo uma realidade acachapante – o grande rei angevino agora não possuía nem o poder nem a visão para controlar a Terceira Cruzada.

No dia 20 de junho, o serviço de inteligência da caravana aiúbida vinda do Egito incentivou a ação e uma breve pausa na discórdia, mas assim que a força expedicionária voltou a Beit Nuba em 29 de junho, o confronto foi retomado. Testemunhas oculares latinas descreveram como "as pessoas (estavam) gemendo e se lamentando", "aflitas" devido à continuada recusa de se marchar sobre a Cidade Santa. No início de julho, o prolongado tumulto havia efetivamente imobilizado a cruzada. Os francos parecem ter feito uma última tentativa desesperada de iniciar um avanço em 3 de julho, mas sem o apoio de Ricardo isso não aconteceu. Sem avançar de forma alguma, o exército cristão aceitou o inevitável e deu início a uma desanimada retirada. Segundo Ambrósio, quando se espalhou pelo exército a notícia de que "eles não poderiam adorar no Santo Sepulcro, que estava a apenas quatro léguas de distância, seus corações se encheram de tristeza e eles voltaram as costas tão desanimados e infelizes que nunca se viu um povo escolhido tão deprimido e consternado".[100]

Esse revés marcou o ponto mais baixo da carreira de Ricardo como cruzado. Naquele verão, ele foi culpado de um calamitoso fracasso de liderança. Seu erro não foi a decisão de não efetuar o cerco de Jerusalém – como em janeiro de 1192, ele seguiu corretamente os ditames da ciência militar e avaliou que os riscos de um ataque à Cidade Santa seriam inaceitáveis. O erro foi não manifestar esse conhecimento enquanto ainda estava em Ascalão, não querendo assumir o firme controle da expedição, bem como então permitir que os exércitos latinos mais uma vez se aproximassem à distância de um dia da Cidade Santa. As perspectivas de sucesso da Terceira Cruzada já haviam sido severamente comprometidas pelo mau gerenciamento de Ricardo da primeira marcha prematura contra Jerusalém no final de 1191. Agora, em julho de 1192, esse segundo revés teve um efeito desastroso no moral franco e infligiu um golpe letal da sorte da cristandade na guerra pela Terra Santa.

ESTÁGIO FINAL

No verão de 1192, o conflito entre Saladino e Ricardo tinha chegado a um impasse. O sultão havia sobrevivido ao segundo avanço dos cruzados pelo interior e permanecera em posse de Jerusalém, mas seus exércitos muçulmanos estavam totalmente exaustos, e o Império Aiúbida praticamente a ponto de entrar em colapso. A Terceira Cruzada, por seu lado, não havia sofrido nenhuma derrota mortal, mas sua energia marcial havia sido dilapidada pela liderança irresoluta. A unidade franca – recentemente tão desequilibrada pela eleição de Henrique de Champagne como rei titular da Palestina latina – agora estava irrevogavelmente despedaçada, e as forças da coalizão latina, dispersas (com Hugo de Borgonha e a congregação franca em Cesareia). Privado dos requisitos de homens e recursos, o plano do Coração de Leão de abrir uma nova frente no Egito foi por fim abandonado. Ao mesmo tempo, a ansiedade devido aos eventos na Europa continuava a se impor pesadamente no pensamento de Ricardo. Com as forças da cristandade e do Islã incapazes de ganhar a guerra palestina, tudo o que realmente restava era definir um caminho para a paz.

Boa parte daquele verão foi dedicada a prolongar a negociação enquanto cada um dos lados chicanava em busca dos termos mais favoráveis, sempre atento à oportunidade de obter alavancagem diplomática. Uma delas surgiu no final de julho de 1192, quando Saladino buscou capitalizar a ausência temporária de Ricardo, comandando uma força de ataque contra Jafa. O sultão esteve a algumas horas de conquistar o posto, mas o Coração de Leão chegou de navio (depois de ser alertado do ataque) para aliviar a guarnição franca. Desembarcando, o rei encabeçou um contra-ataque destemido, rechaçando o assalto muçulmano. Ricardo estabeleceu um acampamento fora de Jafa e, nos dias que se seguiram, reprimiu com desprezo todas as tentativas de fazê-lo abandonar sua posição, apesar de estar bastante suplantado em termos numéricos. Assistido por um pequeno grupo de leais seguidores – incluindo Henrique de Champagne, Roberto de Leicester, André de Chauvigny e Guilherme de L'Estang –, dizem que o rei "brandia a espada em rápidos golpes, avançando em meio ao ataque inimigo, cortando os adversários em dois quando os encontrava, primeiro deste lado, depois daquele". Quaisquer que tivessem sido seus recentes fracassos como comandante cruzado, o Coração de Leão continuava a ser um guerreiro de inquestionável habilidade e de reputação de coragem. Segundo uma testemunha muçulmana, por volta de 4 de agosto Ricardo chegou a avançar sozinho, lança em riste, diante das linhas aiúbidas, num ato de desafio aberto, "mas ninguém foi contra ele". Logo depois, Saladino ordenou a retirada, completamente exasperado pela profunda resistência de suas tropas de confrontar essa força da natureza apesar de suas exortações ao ataque.

Na verdade, a ira do sultão – e a incomum recalcitrância de seus soldados fora de Jafa – pode ser explicada, pelo menos parcialmente, pelo fato de Ricardo ter recorrido às mais intrincadas táticas na guerra da diplomacia. Para a irritação de Saladino, seu rival angevino fazia tentativas incansáveis e de sucesso cada vez maior de fazer amizade com os emires aiúbidas. Já em 1191, o Coração de Leão havia mostrado interesse em explorar o potencial de rivalidade e suspeita entre o sultão e seu irmão al-Adil. Agora, na segunda metade de 1192, à medida que o ritmo e a intensidade das negociações aumentavam, Ricardo ampliou este ardil – restabelecendo linhas de comunicação com al-Adil, mas também forjando contatos com muitos outros potentados muçulmanos do círculo íntimo de Saladino. Os homens que ele objetivava não eram necessariamente de total deslealdade para com o sultão, mas, como quaisquer outros, eles podiam sentir que a cruzada estava chegando a um final. Assim, eles reconheciam que seu papel em qualquer acordo futuro poderia ser marcadamente aprimorado se servissem como mediadores e corretores da paz.

Ricardo conduziu deliberadamente boa parte desse contato em público – com a intenção aparente de demonstrar a Saladino que o apetite de seus emires por um conflito endurecido estava diminuindo. Nos arredores de Jafa, em 1º de agosto, Ricardo convidou um grupo de comandantes aiúbidas do alto escalão para visitar seu acampamento durante um intervalo da luta. Ele passou a tarde os recebendo e gracejando com eles, falando de "coisas sérias e banais". Infelizmente para Ricardo, a vantagem conseguida por esse esquema foi em grande parte delapidada quando ele caiu gravemente doente em meados de agosto. Até esse ponto, ele havia teimosamente insistido que Ascalão – reconstruída com muita dificuldade graças a seus próprios esforços apenas alguns meses antes – devia permanecer em mãos cristãs, sempre acrescentando que tinha toda a intenção de ficar no Levante até a Páscoa de 1193. No final de agosto, contudo, com o Coração de Leão debilitado pela febre, o regateio cessou.[101]

Por meio do complexo e longo diálogo diplomático, os termos de uma trégua de três anos foram por fim acertados em 2 de setembro de 1192, uma quarta-feira. Saladino devia conservar o controle de Jerusalém, concordou com permitir aos peregrinos cristãos acesso irrestrito ao Santo Sepulcro. Os francos deviam conservar a estreita faixa costeira entre Jafa e Tiro conquistada durante a cruzada, mas as fortificações de Ascalão deveriam ser novamente demolidas. Estranhamente, nenhuma discussão envolvendo o destino da Verdadeira Cruz parece ter ocorrido – de qualquer modo, a reverenda relíquia cristã permaneceu em mãos aiúbidas.

Mesmo nesse momento final de acordo, Saladino e Ricardo não se encontraram. Al-Adil levou o tratado escrito – cujo texto em árabe foi escrito por Imad al-Din, o escriba do sultão – para Ricardo em Jafa. O rei doente estava fraco demais até para ler o documento e limitou-se a oferecer as mãos como sinal de trégua. Henrique de Champagne e Balian de Ibelin então fizeram o juramento de respeitar os termos, e os mestres (tanto o templário como o hospitalário) também indicaram sua aprovação. No dia seguinte, em Ramla, a delegação latina, que incluía Hunfredo de Toron e Balian, foi levada à presença de Saladino. Lá, "eles tomaram sua nobre mão e receberam seu juramento de observar a paz nos termos acordados". Os principais membros da família de Saladino – al-Adil, al-Afdal e al-Zahir – e um certo número de emires então proferiram seus juramentos. Por fim, com os elaborados rituais concluídos, a paz foi alcançada.[102]

No mês que se seguiu, três delegações de cruzados fizeram a viagem até Jerusalém – conseguindo por meio da trégua o que lhes havia sido negado na guerra. Entre os que cumpriram seus votos de peregrino estavam

André de Chauvigny e Hubert Walter, bispo de Salisbury. Mas Ricardo I não fez nenhuma tentativa de viajar à Cidade Santa. Pode ser que sua prolongada enfermidade o tenha impedido; ou talvez ele tenha avaliado que a perspectiva de visitar o Santo Sepulcro enquanto Jerusalém ainda permanecia em mãos muçulmanas fosse vergonhosa demais para suportar. Em 9 de outubro de 1192, depois de seis meses no Levante, o Coração de Leão iniciou sua viagem de volta à Europa. Enquanto sua frota real enfunava as velas, o rei teria oferecido uma oração a Deus para que um dia pudesse retornar.

O RESULTADO DA TERCEIRA CRUZADA

No final, nem Saladino nem Ricardo Coração de Leão puderam cantar vitória na guerra pela Terra Santa. O rei angevino havia fracassado em retomar Jerusalém ou recuperar a Verdadeira Cruz. Mas, graças a seus esforços e de seus colegas cruzados, a cristandade cristã conservava um pé na Palestina, e a subjugação franca de Chipre oferecia um raio de esperança da sobrevivência do Ultramar.

Depois de levar o Islã à vitória em 1187, Saladino enfrentou uma série de reveses humilhantes durante a Terceira Cruzada – em Acre, Arsuf e Jafa. Apesar da constante devoção à causa da *jihad*, ele também fora totalmente incapaz de impedir a reconquista franca da costa. No sítio e na batalha Ricardo havia prevalecido, enquanto na arte da diplomacia o Coração de Leão havia, no mínimo, comprovado ser igual ao sultão. Contudo, embora batido, Saladino permaneceu não derrotado. Jerusalém tinha sido defendida para o Islã; o Império Aiúbida continuou a existir. E agora, o fim da cruzada e a partida do rei Ricardo ofereciam a perspectiva de futuros triunfos – a oportunidade de completar a obra iniciada em Hattin.

O longo caminho termina

Assim que a notícia da partida do rei Ricardo da Terra Santa foi confirmada, Saladino finalmente se sentiu capaz de dissolver seus exércitos. Ele chegou a pensar numa peregrinação a Meca, mas as necessidades do império logo tiveram precedência. Depois de percorrer os territórios palestinos, Saladino voltou à Síria para passar um inverno chuvoso descansando em Damasco. Despedindo-se de al-Zahir, dizem que ele teria aconselhado a seu filho que não se familiarizasse demais com a violência, advertindo que "o sangue nunca dorme".

No início de 1193, a saúde de Saladino estava em declínio e ele começou a mostrar preocupantes sinais de exaustão. Baha al-Din observou que "era como se seu corpo estivesse cheio e havia nele uma lassidão". Em 20 de fevereiro, o sultão caiu doente, tendo febre e náuseas. Nos dias que se seguiram, sua condição se deteriorou. Juntos, Baha al-Din e al-Fadil visitaram os aposentos de seu mestre na cidadela toda manhã e noite, e al-Afdal também ficou em permanente vigília. No início de março, a febre de Saladino se intensificou de tal modo que o suor descia de seu colchão para o chão, e ele começou a ter falha de consciência. Baha al-Din descreveu como em 3 de março de 1193:

> A doença do sultão ficou pior e suas forças diminuíram... (um imã) foi chamado para passar a noite na cidadela, de modo que, caso a agonia começasse, ele estaria com o sultão, (capaz) de receber sua profissão de fé e manter Deus em sua mente. Isto foi feito e nós deixamos a cidade, cada um disposto a oferecer sua própria vida para salvar a do sultão.

Logo após o amanhecer, enquanto o imã recitava o Corão ao lado dele, Saladino faleceu. Seu corpo foi depositado para o descanso eterno num mausoléu dentro do conjunto da Grande Mesquita dos Omíadas de Damasco. Ele permanece lá até hoje.[103]

No início de sua carreira, Saladino fora motivado pela ambição pessoal e uma necessidade de renome para usurpar o poder dos zênguidas e forjar um novo e amplo Império Aiúbida. Ele também demonstrou uma pronta disposição a difamar seus inimigos, muçulmanos e cristãos, pelo uso da propaganda. A dedicação do sultão à *jihad* – uma notável característica de sua carreira somente após sua enfermidade de 1186 – foi sempre matizada por uma determinação de comandar o Islã na guerra santa, e não de servir como lugar-tenente.

Não obstante, Saladino parece ter sido efetivamente inspirado pelo autêntico fervor religioso e uma genuína crença na santidade de Jerusalém. Sugeriu-se recentemente que, passado o ano de 1187, depois de o tremendo objetivo da recaptura da Cidade Santa ter sido alcançado, "o compromisso emocional de Saladino com a *jihad* começou a titubear". Na verdade, sua devoção a essa causa no mínimo se fortaleceu durante a Terceira Cruzada, mesmo diante do fracasso e da derrota. Também é verdade que o senso de unidade muçulmana por ele engendrado, embora não absoluto, não teve paralelo no século XII. Com certeza, no mundo das cruzadas, adversários e aliados reconheciam que o sultão era um notável líder de homens. O grande historiador iraquiano e simpatizante dos zênguidas Ibn al-Athir, embora por vezes crítico do sultão, escreveu que:

> Saladino (que Deus tenha piedade dele) era generoso, indulgente, de bom caráter, humilde, disposto a tolerar algo que o desagradasse (e) muito dado a ignorar as falhas de seus seguidores... Em suma, era um indivíduo raro em sua época, com muitas boas qualidades e bons feitos, poderoso na *jihad* contra os infiéis, como comprovam suas conquistas.[104]

Acima de tudo, uma questão fundamental perpassa toda tentativa de julgar a vida e a carreira de Saladino: ele lutou pela causa da *jihad*, que era conquistar e defender Jerusalém, em busca de sua própria glória e proveito ou pensando nos interesses mais amplos do Islã? No final, talvez até mesmo o próprio sultão não tivesse certeza dessa resposta.

A carreira tardia do Coração de Leão

Enquanto o sultão aiúbida falecia, seu flagelo Ricardo Coração de Leão estava enfrentando uma nova luta. Mal tendo evitado o desastre quando seu navio naufragou devido a uma tempestade perto de Veneza, o rei prosseguiu sua viagem para casa por terra, disfarçado para evitar seus inimigos europeus. Foi, contudo, capturado em Viena por seu velho rival do cerco de Acre, o duque Leopoldo da Áustria – aparentemente, a tentativa de Ricardo de se passar por um mero cozinheiro fracassou por ele ter se esquecido de tirar seu anel fabulosamente ajaezado.

Confinado num elevado castelo com vista para o Danúbio, o Coração de Leão foi mantido prisioneiro por mais de um ano, causando um escândalo político em todo o Ocidente, sendo libertado em fevereiro de 1194 só depois de prolongada negociação e do pagamento de um enorme resgate. No final do século XIII, contudo, uma história mais romântica entrou em circulação, na qual o fiel menestrel do rei, Blondel, procurou obstinadamente pela Europa por seu mestre supostamente "desaparecido", parando em inúmeros castelos para cantar uma canção que ele e Ricardo haviam escrito juntos. O rei efetivamente compôs pelo menos dois lamentos dolentes enquanto esteve cativo (que sobrevivem até hoje), mas a história de Blondel é pura ficção – mais uma camada de mito na lenda do Coração de Leão.

Apesar de todos os seus temores e da prolongada ausência, Ricardo voltou para descobrir que o reino angevino permanecia sob seu controle – seus leais apoiadores haviam frustrado as tentativas de rebelião de João. Filipe Augusto, contudo, conseguiram tirar certa vantagem – apoderando-se de alguns castelos ao longo da fronteira com a Normandia – e Ricardo dedicou boa parte de seus cinco anos seguintes na campanha contra os capetíngios. Envolvido pelos negócios europeus, ele nunca voltou à Terra Santa. No final do século XII, o gosto do Coração de Leão pelo combate na linha de frente finalmente pôde ser realizado. Enquanto sitiava o pequeno castelo de Chalus, no sul da França, foi atingido no ombro pelo disparo de uma besta e ficou seriamente ferido. O ferimento gangrenou, e Ricardo morreu em 6 de abril de 1199, com a idade de 41 anos. Seu corpo foi enterrado em Fotevraud, ao lado de seu pai Henrique II, enquanto seu coração foi enviado para Rouen.[105]

Os contemporâneos lembravam-se do Coração de Leão como guerreiro ímpar e cruzado superlativo: o rei que pôs o poderoso Saladino de joelhos. Em grande parte, Ricardo pode receber o crédito de ter salvado o Ultramar. Valoroso e astuto, perito em batalha, ele comprovou ser um igual no desafio do confronto com o sultão aiúbida. Mas, apesar de todas as suas realizações na guerra santa, o rei angevino sempre lutou por conciliar seus vários deveres e obrigações – dividido entre a necessidade de defender seu reino ocidental e o desejo de forjar uma lenda na Palestina. De maneira decisiva, ele também falhou em compreender a natureza e o desafio distintos da guerra de cruzada, e assim foi incapaz de conduzir a Terceira Cruzada à vitória.

NOTAS

1   A Terceira Cruzada é a primeira expedição à qual os modernos historiadores têm total acesso e detalhadas fontes de testemunho ocular de cristãos latinos e de muçulmanos. Entre os observadores ocidentais estavam Ambrósio, um clérigo normando que foi para a cruzada com Ricardo Coração de Leão e, então, entre 1194 e 1199, escreveu um poema épico em francês arcaico recontando a expedição – *A história da guerra santa* –, com mais de 12 mil versos. O relato de Ambrósio parece ter sido usado por outro cruzado, Ricardo de Templo, para escrever sua narrativa em latim da cruzada, o *Itinerarium Peregrinorum et Gesta* (Itinerário dos peregrinos e fatos do rei Ricardo). Os relatos narrativos, biografias e cartas escritos por três altos funcionários da corte de Saladino – Imad al-Din, Baha al-Din e o *Qadi* al-Fadil – oferecem visões valiosas da perspectiva que os muçulmanos tinham da cruzada. Também podem ser utilmente comparados com o testemunho do historiador de Mossul Ivn al-Athir, que não era partidário dos aiúbidas. Apesar desta abundância de fontes materiais básicas, há uma surpreendente escassez de erudição moderna respeitada focando especificamente a Terceira Cruzada. Portanto, devotei a terça parte da presente obra à Terceira Cruzada. As principais fontes básicas para esta expedição incluem: Baha al-Din, pp. 78-245; Imad al-Din, pp. 63-434; Ibn al-Athir, vol. 2, pp. 335-409; Abu Shama, 'Le Livre des Deux Jardins', *RHC Or.* IV, pp. 341-522, V, pp. 3-101; Ambroise, *The History of the Holy War: Ambroise's Estoire de la Guerre Sainte*, ed. and trans. M. Ailes and M. Barber, 2 vols. (Woodbridge, 2003) (todas as referências a Ambrósio que se seguem estão relacionadas com a edição em verso em francês arcaico no volume I). *Itinerarium Peregrinorum et Gesta Regis Ricardi, Chronicles and Memorials of the Reign of Richard I*, vol. 1, ed. W. Stubbs, Rolls Series 38 (Londres, 1864). Para uma tradução em inglês e uma introdução útil às complexidades que cercam este texto, ver: *Chronicle of the Third Crusade: A Translation of the Itinerarium Peregrinorum et Gesta Regis Ricardi*, trans. H. Nicholson (Aldershot, 1997). *La Continuation de Guillaume de Tyr*, pp. 76-158. Para uma tradução deste texto em inglês e algumas outras fontes relacionadas, ver: P.W. Edbury (trans.), *The Conquest of Jerusalem and the Third Crusade: Sources in Translation* (Aldershot, 1996). Para mais leitura sobre estas fontes, ver: C. Hanley, 'Reading the past through the present: Ambroise, the minstrel of Reims and Jordan Fantosme', *Mediaevalia*, vol. 20 (2001), pp. 263-81; M. J. Ailes, 'Heroes of war: Ambroise's heroes of the Third Crusade', *Writing War: Medieval Literary Responses*, ed. F. Le Saux and C. Saunders (Woodbridge, 2004); P. W. Edbury, 'The Lyon *Eracles* and the Old French Continuations of William of Tyre', *Montjoie: Studies in Crusade History in Honour of Hans Eberhard Mayer*, ed. B. Z. Kedar, J. S. C. Riley-Smith and R. Hiestand (Aldershot, 1997), pp. 139-53. Secondary works that do shed light on the Third Crusade

include: S. Painter, 'The Third Crusade: Richard the Lionhearted and Philip Augustus', *A History of the Crusades*, vol. 2, ed. K. M. Setton (Madison, 1969), pp. 45-85; Lyons and Jackson, *Saladin*, pp. 279-363; H. Möhring, *Saladin und der dritte Kreuzzug* (Wiesbaden, 1980); J. Gillingham, *Richard I* (New Haven e Londres, 1999); Tyerman, *God's War*, pp. 375-474.

2 'Annales Herbipolenses', *Monumenta Germaniae Historica, Scriptores*, ed. G. H. Pertz et al., vol. 16 (Hanover, 1859), p. 3.

3 E. Haverkamp, *Medieval Germany, 1056-1273* (Oxford, 1988); E. Hallam, *Capetian France, 987-1328*, 2nd edn (Harlow, 2001); W. L. Warren, *Henry II* (Londres, 1973); J. Gillingham, *The Angevin Empire*, 2nd edn (Londres, 2001).

4 'Historia de expeditione Friderici Imperatoris', pp. 6-10. The text of *Audita Tremendi* is also translated in: Riley-Smith, *The Crusades: Idea and Reality*, pp. 63-7.

5 Gerald of Wales, *Journey through Wales*, trans. L. Thorpe (Londres, 1978), p. 204. Sobre a pregação da Terceira Cruzada, ver: C. J. Tyerman, *England and the Crusades* (Chicago, 1988), pp. 59-75; Tyerman, *God'sWar*, pp. 376-99. Segundo uma testemunha muçulmana, os pregadores latinos da Europa também fizeram uso de um quadro representando as atrocidades muçulmanas – inclusive a profanação do Santo Sepulcro – para incendiar as audiências e incentivar o alistamento. Baha al-Din, p. 125; Ibn al-Athir, vol. 2, p. 363. Esta informação não é corroborada por fontes ocidentais.

6 Routledge, 'Songs', p. 99. Outros poetas ampliaram estas ideias. Em particular, os que não aceitavam a cruz eram acusados de covardia e relutância à luta. Em alguns círculos, tornou-se comum humilhar os não cruzados dando-lhes "lã e fuso", as ferramentas para fiar, para sugerir que eles só estavam preparados para o trabalho feminino.

7 *Itinerarium Peregrinorum*, p. 33; Routledge, 'Songs', p. 108.

8 *Itinerarium Peregrinorum*, pp. 143-4.

9 Gillingham, *Richard I*, pp. 1-23. Em 1786, o historiador inglês David Hume criticou Ricardo por negligenciar a Inglaterra, mas a onda de crítica realmente começou com William Stubbs, que em 1867 descreveu o Coração de Leão como "mau filho, mau marido, governante egoísta e homem violento" e "um homem de sangue... familiarizado demais com a carnificina". Na França, a obra de René Grousset de 1936 endossou essa opinião, caracterizando Ricardo como "cavaleiro brutal e sem educação", enquanto a história da Inglaterra medieval de A. L. Poole (1955) observa que "ele usou a Inglaterra como banco para sacar o quanto quis para financiar suas explorações ambiciosas em outras partes". Em 1974, o acadêmico americano James Brundage declarou que Ricardo tinha sido "uma máquina de matar de incomparável eficiência... (mas) na câmara do conselho ele era um desastre total", concluindo confiantemente que ele foi "certamente um dos piores governantes que a Inglaterra já teve". Durante a era vitoriana, pelo menos, essa condenação foi contraposta pela romantização popular do reinado de Ricardo,

promovida em obras de ficção como as de Walter Scott. Em meados do século XIX, uma monumental estátua de bronze do Coração de Leão sobre seu cavalo foi erigida nas Casas do Parlamento em Londres – um tributo ao "grande herói inglês", pago por subscrição pública. Outros estudos acadêmicos sobre Ricardo incluem: J. L. Nelson (ed.), *Richard Coeur de Lion in History and Myth* (Londres, 1992); J. Gillingham, 'Richard I and the Science of War', *War and Government: Essays in Honour of J. O. Prestwich*, ed. J. Gillingham and J. C. Holt (Woodbridge, 1984), pp. 78-9; R. A. Turner and R. Heiser, *The Reign of Richard the Lionheart: Ruler of the Angevin Empire* (Londres, 2000); J. Flori, *Richard the Lionheart: Knight and King* (Londres, 2007). Além da evidência apresentada em Ambrósio e no *Itinerarium Peregrinorum*, as principais fontes básicas para a carreira de Ricardo I e a cruzada incluem: Roger of Howden, *Gesta Regis Henrici II et Ricardi I*, 2 vols., ed. W. Stubbs, Rolls, *Chronica*, vols. 3 and 4, ed. W. Stubbs, Rolls Series 51 (Londres, 1870). Sobre Howden, ver: J. Gillingham, 'Roger of Howden on Crusade', *Medieval Historical Writing in the Christian and Islamic Worlds*, ed. D. O. Morgan (Londres, 1982). Richard of Devizes, *The Chronicle of Richard of Devizes of the Time of Richard the First*, ed. and trans. J. T. Appleby (Londres, 1963); William of Newburgh, *Historia Rerum Anglicarum*, Chronicles of the Reigns of Stephen, Henry II and Richard I, vol. 1, ed. R. Howlett, Rolls Series 82 (Londres, 1884); Ralph of Coggeshall, *Chronicon Anglicanum*, ed. J. Stevenson, Rolls Series 66 (Londres, 1875); Ralph of Diceto, *Ymagines Historiarum, The HistoricalWorks of Master Ralph of Diceto*, vol. 2, ed. W. Stubbs, Rolls Series 68 (Londres, 1876).

10 *Itinerarium Peregrinorum*, p. 143.

11 Roger of Howden, *Gesta*, vol. 2, pp. 29-30. Sobre Filipe Augusto, ver: J. Richard, 'Philippe Auguste, la croisade et le royaume', *La France de Philippe Auguste: Le temps des mutations*, ed. R.-H. Bautier (Paris, 1982), pp. 411-24; J. W. Baldwin, *The Government of Philip Augustus: Foundations of French Royal Power in the Middle Ages* (Berkeley e Londres, 1986); J. Bradbury, *Philip Augustus, King of France 1180-1223* (Londres, 1998); J. Flori, *Philippe Auguste, roi de France* (Paris, 2002).

12 Sobre Frederico Barbarroxa e sua cruzada, ver: P. Munz, *Frederick Barbarossa: A Study in Medieval Politics* (Londres, 1969); F. Opll, *Friedrich Barbarossa* (Darmstadt, 1990); E. Eickhoff, *Friedrich Barbarossa im Orient: Kreuzzug und Tod Friedrichs I* (Tübingen, 1977); R. Chazan, 'Emperor Frederick I, the Third Crusade and the Jews', *Viator*, vol. 8 (1977), pp. 83-93; Lilie, *Byzantium and the Crusader States*, pp. 230-42; H. E. Mayer, 'Der Brief Kaiser Friedrichs I an Saladin von Jahre 1188', *Deutsches Archiv für Erforschung des Mittelalters*, vol. 14 (1958), pp. 488-94; C. M. Brand, 'The Byzantines and Saladin, 1185-92: Opponents of the Third Crusade', *Speculum*, vol. 37 (1962), pp. 167-81. Já se chegou a achar que Frederico contatou o próprio Saladino neste ponto, mas duas cartas latinas que eram tidas como cópias de sua correspondência hoje são vistas como falsas. Contudo, é provável que Barbarroxa tenha estabelecido alguma forma de contato diplomático com Saladino nos anos 1170.

13 Gerald of Wales, 'Liber de Principis Instructione', Giraldi Cambriensis Opera, vol. 8, ed. G. F. Warner, Roll Series 21 (Londres, 1867), p. 296.

14 O dízimo teve um impacto adicional no recrutamento, pois todos aqueles que se juntavam à cruzada ficavam isentos do tributo; como resultado, Roger de Howden observou que "todos os homens ricos (do reino angevino), tanto clérigos quanto leigos, correram em multidões para pegar a cruz". Roger of Howden, Gesta, vol. 2, pp. 32, 90.

15 Roger of Howden, Gesta, vol. 2, pp. 110-11. Sobre a questão do transporte naval, ver: J. H. Pryor, Geography, Technology and War: Studies in the Maritime History of the Mediterranean 649-1571 (Cambridge, 1987); J. H. Pryor, 'Transportation of horses by sea during the era of the crusades: eighth century to 1285 A.D., Part I: To c. 1225', The Mariner's Mirror, vol. 68 (1982), pp. 9-27, 103-25.

16 Roger of Howden, Gesta, vol. 2, pp. 151-5; Gillingham, Richard I, pp. 123-39.

17 Lyons and Jackson, Saladin, pp. 277, 280-81.

18 Ibn Jubayr, p. 319; D. Jacoby, 'Conrad, Marquis of Montferrat, and the kingdom of Jerusalem (1187-92)', Dai feudi monferrini e dal Piemonte ai nuovi mondi oltre gli Oceani (Alessandria, 1993), pp. 187-238.

19 Roger of Howden, Gesta, vol. 2, pp. 40-41; Ibn al-Athir, vol. 2, p. 337.

20 Imad al-Din, p. 108. Para uma discussão da carreira de o Baha al-Din, ver: a introdução de Donald Richards à sua própria tradução de History of Saladin (Baha al-Din, pp. 1-9). Ver também: Richards, 'A consideration of two sources for the life of Saladin', pp. 46-65.

21 Lyons and Jackson, Saladin, pp. 296, 307.

22 Ambroise, pp. 44-5, indicando que Guy estava acompanhado por quatrocentos cavaleiros e sete mil soldados de infantaria. Itinerarium Peregrinorum, p. 61, confirmando setecentos cavaleiros e uma força total de nove mil homens.

23 Ibn Jubayr, p. 318; Itinerarium Peregrinorum, pp. 75-6. Sobre o cerco de Acre e as armas do cerco, ver: Rogers, Latin Siege Warfare, pp. 212-36, 251-73. Sobre a geografia de Acre, ver: D. Jacoby, 'Crusader Acre in the thirteenth century: Urban layout and topography', Studia Medievali, 3rd series, vol. 10 (1979), pp. 1-45; D. Jacoby, 'Montmusard, suburb of crusader Acre: The first stage of its development', Montjoie: Studies in Crusade History in Honour of Hans Eberhard Mayer, ed. B. Z. Kedar, J. S. C. Riley-Smith and R. Hiestand (Aldershot, 2000), pp. 205-17.

24 La Continuation de Guillaume de Tyr, p. 89; Ambroise, p. 45. Monte Toron também é conhecido como Tell al-Musallabin ou Tell al-Fukhkhar.

25 Abu Shama, pp. 412-15; Itinerarium Peregrinorum, p. 67.

26 Ambroise, p. 46; Itinerarium Peregrinorum, p. 67.

27 Imad al-Din, p. 172; Lyons and Jackson, *Saladin*, pp. 301-2.

28 Baha al-Din, p. 102-3; *Itinerarium Peregrinorum*, pp. 70, 72.

29 Baha al-Din, p. 104; Tyerman, *God's War*, pp. 353-4.

30 *Itinerarium Peregrinorum*, p. 73; Ibn al-Athir, vol. 2, p. 369.

31 Baha al-Din, pp. 107-8; Ambroise, p. 52.

32 Imad al-Din, *Arab Historians of the Crusades*, trans. F. Gabrieli, pp. 204-6; Baha al-Din, pp. 27, 100-101; Ambroise, pp. 55, 58; B. Z. Kedar, 'A Western survey of Saladin's forces at the siege of Acre', *Montjoie: Studies in Crusade History in Honour of Hans Eberhard Mayer*, ed. B. Z. Kedar, J. S. C. Riley-Smith and R. Hiestand (Aldershot, 2000), pp. 113-22.

33 Ambroise, pp. 52, 55; *Itinerarium Peregrinorum*, pp. 80, 82; Baha al-Din, pp. 124, 127.

34 A Saladino juntaram-se seu filho al-Zahir, de Alepo, e Keukburi, de Harā, em 5 de maio; Imad al-Din Zanki, senhor de Sinjar, em 29 de maio; Sanjar Shah, senhor de Jazirat, em 13 de junho; as tropas de Mossul sob o comando de 'Ala al-Din, filho de Izz al-Din Masud, em 15 de junho; e Zayn al-Din, de Irbil, no final de junho e início de julho. Baha al-Din, pp. 109-12.

35 Baha al-Din, p. 106. Lyons and Jackson, *Saladin*, pp. 312-13, 316. Saladino mandou tropas para Manbij, Kafartab, Balbeque, Xaizar, Alepo e Hama. Entre os que deixaram os arredores de Acre estava al-Zahir.

36 Baha al-Din, p. 124.

37 Baha al-Din, pp. 110-11; Ibn al-Athir, vol. 2, p. 373; Ambroise, p. 55.

38 Baha al-Din, p. 123; Ambroise, p. 59.

39 *La Continuation de Guillaume de Tyr*, p. 105; *Itinerarium Peregrinorum*, p. 74; Ambroise, p. 56.

40 *La Continuation de Guillaume de Tyr*, p. 98; Ibn al-Athir, vol. 2, p. 375.

41 Ambrósio, pp. 52, 61-3. A presença de Frederico da Suábia, como governante a que faltavam combatentes, levou incômodas questões sobre a liderança e o status do rei Guy. Baha al-Din (pp. 128-31) acreditava que, logo depois de sua chegada, Frederico lançou uma nova ofensiva contra Acre, empregando tecnologia militar experimental. Esta envolvia o equivalente medieval de um tanque – uma grande estrutura com rodas, coberta com folhas de metal, abrigando um enorme aríete com pontas de ferro. Mas uma testemunha ocular latina atribuiu todo o crédito por esta iniciativa aos franceses, e, de qualquer modo, assim que o "tanque" chegou ao pé das muralhas, foi rapidamente esmagado sob uma cascata de rochas e fogo grego.

42 Baha al-Din, pp. 130, 132; Lyons and Jackson, *Saladin*, pp. 318-20. Por volta desta mesma época, o trabalho de reforçar as defesas de Alexandria e Damieta avançava rápido no Egito, e instruções eram espalhadas por toda a Síria para se armazenar grãos da recente colheita em caso de uma invasão.

43 Baha al-Din, pp. 140, 143; Lyons and Jackson, *Saladin*, pp. 323-4; *Itinerarium Peregrinorum*, pp. 127, 129-30; Ambroise, pp. 68-71, 73.

44 Baha al-Din, pp. 141-2; Lyons and Jackson, *Saladin*, pp. 323-5.

45 Ambroise, p. 38; Baha al-Din, p. 150.

46 *Itinerarium Peregrinorum*, pp. 204-5; P. W. Edbury, *The Kingdom of Cyprus and the Crusades, 1191-1374* (Cambridge, 1991), pp. 1-12.

47 Baha al-Din, pp. 145, 149-50; *La Continuation de Guillaume de Tyr*, pp. 109, 111.

48 Baha al-Din, p. 146; R. Heiser, 'The Royal *Familiares* of King Richard I', *Medieval Prosopography*, vol. 10 (1989), pp. 25-50.

49 *Itinerarium Peregrinorum*, pp. 206, 211; Baha al-Din, p. 155.

50 Baha al-Din, pp. 153, 156, 159.

51 *Itinerarium Peregrinorum*, p. 211; Ambroise, p. 74.

52 *Codice Diplomatico della repubblica di Genova*, ed. C. Imperiale di Sant' Angelo, 3 vols. (Genoa, 1936-42), ii, n. 198, pp. 378-80; J. S. C. Riley-Smith, *The Feudal Nobility and the Kingdom of Jerusalem 1174-1277* (Londres, 1973), pp. 112-17.

53 *Itinerarium Peregrinorum*, pp. 218-19. Os detalhes precisos destas armas de assédio – suas origens e desenho exato – não ficam claros, pois as fontes contemporâneas mostram-se frustrantemente imprecisas. É possível que tenha sido feito um certo uso da tecnologia de contrapeso nesses lançadores de pedras (sendo os aparelhos de tração a norma estabelecida). Também é possível que a tecnologia e os materiais dessas máquinas tenham sido levados da Europa, ou que máquinas capturadas contribuíram para seu desenvolvimento. A datação do assalto independente de Filipe é problemática e pode ter ocorrido entre 17 de junho e 1º de julho. Hugo de Borgonha, os templários e os hospitalários parecem ter manipulado suas próprias catapultas. Ricardo parece ter realmente construído uma torre de assalto em Acre, protegida por "couro, cordas e madeira", mas esta estrutura não parece ter desempenhado um papel importante no assalto.

54 Baha al-Din, pp. 155-7.

55 Baha al-Din, pp. 156-7; *Itinerarium Peregrinorum*, pp. 223-4.

56 Ambroise, p. 80; *Itinerarium Peregrinorum*, p. 225.

57   Ambroise, pp. 82, 84; Baha al-Din, p. 161; *La Continuation de Guillaume de Tyr*, p. 125.

58   Baha al-Din, p. 161; Imad al-Din, p. 318; *Itinerarium Peregrinorum*, p. 233; Ambroise, p. 84.

59   *Itinerarium Peregrinorum*, pp. 233-4.

60   Baha al-Din, p. 162; Lyons and Jackson, *Saladin*, p. 331; Gillingham, *Richard I*, p. 162; Pryor, *Geography, Technology and War*, pp. 125-30.

61   Ambroise, p. 85; Rigord, 'Gesta Philippi Augusti', *Oeuvres de Rigord et de Guillaume le Breton*, ed. H. F. Delaborde, vol. 1 (Paris, 1882), pp. 116-17; Howden, *Gesta*, vol. 2, pp. 181-3; Gillingham, *Richard I*, p. 166.

62   'Epistolae Cantuarienses', *Chronicles and Memorials of the Reign of Richard I*, ed. W. Stubbs, vol. 2, Rolls Series 88 (Londres, 1865), p. 347.

63   Baha al-Din, pp. 164-5; Imad al-Din, p. 330; Ibn al-Athir, vol. 2, p. 390; Lyons and Jackson, *Saladin*, pp. 331-3.

64   Howden, *Chronica*, vol. 3, pp. 127, 130-31; Howden, *Gesta*, vol. 2, pp. 187, 189; Ambroise, pp. 87-9; *Itinerarium Peregrinorum*, pp. 240-43; *La Continuation de Guillaume de Tyr*, pp. 127-9; 'Historia de expeditione Friderici Imperatoris', p. 99; R. Grousset, *Histoire des Croisades*, 3 vols. (Paris, 1936), vol. 3, pp. 61-2; Gillingham, *Richard I*, pp. 166-71.

65   Ricardo também tinha a significativa vantagem de manter relações estreitas com os líderes das duas principais ordens militares. Roberto de Sablé, que foi nomeado para o cargo vago de mestre dos templários em 1191, foi um dos vassalos líderes de Coração de Leão no vale de Sarthe e serviu como um dos cinco comandantes da frota durante a viagem ao Levante. Garnier de Nablus, eleito mestre hospitalário no fim de 1189 ou início de 1190, era o ex-prior da Inglaterra e grande comandante da França. Ele viajou para o Oriente Médio com o contingente de Ricardo.

66   Smail, *Crusading Warfare*, p. 163; Gillingham, *Richard I*, p. 174; J. F. Verbruggen, *The Art of Warfare in Western Europe during the Middle Ages* (Woodbridge, 1997), pp. 232-9; Ambroise, pp. 91-2.

67   Ambroise, p. 92.

68   Baha al-Din, p. 170; Ambroise, p. 93.

69   Ambroise, p. 94; Baha al-Din, p. 170.

70   Ambroise, p. 96; *Itinerarium Peregrinorum*, pp. 253, 258-9; Baha al-Din, p. 171.

71   Ambroise, p. 97; Baha al-Din, pp. 171-2.

72   Baha al-Din, pp. 172-3; Ambroise, p. 98; Lyons and Jackson, *Saladin*, p. 336.

73   Ambroise, pp. 99-107; *Itinerarium Peregrinorum*, pp. 260-80; Howden, *Chronica*, vol. 3, pp. 130-33; Baha al-Din, pp. 174-6; Imad al-Din, p. 344.

74   Ambroise, pp. 100-101, 103.

75   *Itinerarium Peregrinorum*, p. 264; Howden, *Chronica*, vol. 3, p. 131; Baha al-Din, p. 175.

76   *Itinerarium Peregrinorum*, pp. 268-9; Ambroise, p. 104.

77   *Itinerarium Peregrinorum*, p. 270; Howden, *Chronica*, vol. 3, pp. 129-31. Ricardo escreveu outra carta nesse mesmo dia (desta vez endereçada em geral ao povo de seu reino), que tinha ainda menos a dizer sobre a batalha, comentando simplesmente que "enquanto nos aproximávamos de Arsuf, Saladino caiu sobre nós".

78   *Itinerarium Peregrinorum*, pp. 274-7; Ambroise, pp. 107-9. Ricardo I descreveu Jaime de Avesnes como o "melhor dos homens, cujos méritos tornaram-no caro a todo o exército" e como o "pilar" da cruzada. (Howden, *Chronica*, vol. 3, pp. 129-31). Ambroise relembrou as circunstâncias da morte de Jaime, observando que "houve os que não vieram em seu socorro, o que deu muito o que falar; este fora um barão da França, diziam eles, o conde de Dreux, ele e seus homens. Ouvi tantos falarem mal disto, que a história não poderá negá-lo". Infelizmente, não se ofereceu mais nenhuma explicação para o fato de Roberto de Dreux não ter socorrido Jaime.

79   Flori, *Richard the Lionheart*, pp. 137-8. Muitos historiadores têm expressado uma visão similar, sugerindo que Ricardo buscou ativamente batalhar em Arsuf. Estes incluem: Gillingham (*Richard I*, pp. 173-8), que reconheceu que seu relato de Arsuf baseou-se no testemunho de Ambrósio e descreveu a batalha como o "auge da fama de Ricardo", caracterizando o modo como o rei tratou o encontro como "coisa de mestre"; Verbruggen (*The Art of Warfare*, p. 232), que descreveu Arsuf como "o último grande triunfo dos cristãos no Oriente Médio"; e S. Runciman ('The kingdom of Acre and the later crusades', *A History of the Crusades*, vol. 3 (Cambridge, 1954), p. 57), que aplaudiu a "suprema habilidade de comandar" do Coração de Leão. Tyerman (*God's War*, pp. 458-9) minimizou a importância da batalha, mas, não obstante, confirmou que Ricardo queria levar Saladino ao combate e deslanchou um pesado ataque da cavalaria. Outros, como J. P. Phillips (*The Crusades 1095-1197*, Londres, 2002, pp. 146, 151), louvaram a "brilhante liderança de Ricardo em Arsuf", embora ignorando a questão de o rei ter ou não buscado a batalha deliberadamente. Smail (*Crusading Warfare*, p. 163) descreveu Arsuf como um evento natural que meramente fez parte do processo de uma marcha de combate, mas ainda acreditando que Ricardo tinha planejado o ataque cruzado (pp. 128-9).

80   Baha al-Din, pp. 175-7; Lyons and Jackson, *Saladin*, pp. 338-9.

81   Baha al-Din, p. 178; Lyons and Jackson, *Saladin*, pp. 338-42.

82   *Itinerarium Peregrinorum*, p. 284; Ambroise, p. 114. Há pouca dúvida de que Ricardo estivesse pensando na campanha no Egito a partir do outono, pois cartas aos genoveses

datadas de outubro de 1191 referem-se a planos para "apressar nossas forças no Egito" no verão seguinte "para vantagem" da Terra Santa. *Codice Diplomatico dela repubblica di Genova*, vol. 3, pp. 19-21. Ricardo demonstrou uma habilidade diplomática para garantir o apoio dos genoveses, embora mantendo o apoio de seus aliados tradicionais, os pisanos. Favreau-Lilie, *Die Italiener im Heiligen Land*, pp. 288-93.

83   *Itinerarium Peregrinorum*, p. 293; Ambroise, pp. 118-19; Gillingham, 'Richard I and the Science of War', pp. 89-90; D. Pringle, 'Templar castles between Jaffa and Jerusalem', *The Military Orders*, vol. 2, ed. H. Nicholson (Aldershot, 1998), pp. 89-109.

84   Baha al-Din, p. 179.

85   Baha al-Din, pp. 185-8; Imad al-Din, pp. 349-51. Gillingham, *Richard I*, pp. 183-5; Lyons and Jackson, *Saladin*, pp. 342-3. A Continuação de Guilherme de Tiro (*La Continuation de Guillaume de Tyr*, p. 151), em francês antigo, mencionava a união proposta entre al-Adil e Joana, mas este texto (também conhecido como *Eracles*) teve origem no século XIII. Não é claro o motivo da recusa de Joana. Baha al-Din registrou que ela fugiu enfurecida quando Ricardo finalmente lhe apresentou seu plano. Imad al-Din, contudo, acreditou que ela quisesse essa união, mas foi levada a recusar pelo clero latino.

86   Baha al-Din, pp. 193-5; Imad al-Din, pp. 353-4; Ibn al-Athir, vol. 2, p. 392; *Itinerarium Peregrinorum*, p. 296; Ambroise, p. 120. Imad al-Din viu as tentativas de aproximação de Ricardo como um jogo duplo. Baha al-Din, nesse ínterim, argumentou que o verdadeiro "objetivo de Saladino era minar as negociações de paz". Ele registrou uma conversa pessoal em que o sultão enfatizou que a paz não poria um fim ao perigo para o Islã. Prevendo o colapso da unidade muçulmana depois de sua morte e um ressurgimento do poder franco, Saladino aparentemente afirmou: "Nossa melhor atitude é apegar-nos à *jihad* até expulsarmos todos da costa ou morrermos". Baha al-Din concluiu que "esta era sua opinião, e foi só contra sua vontade que se deixou persuadir a buscar a paz". Contudo, isto provavelmente tenha sido propaganda destinada a manter a imagem de Saladino como um *mujahid* imbatível.

87   Baha al-Din, pp. 194-6.

88   Ambroise, pp. 123-4; *Itinerarium Peregrinorum*, p. 304.

89   *Itinerarium Peregrinorum*, p. 305; Ambroise, p. 126; Mayer, *The Crusades*, p. 148; Gillingham, *Richard I*, p. 191; Phillips, *The Crusades*, p. 151.

90   Ambroise, p. 126; Ibn al-Athir, vol. 2, p. 394.

91   *Itinerarium Peregrinorum*, p. 323; D. Pringle, 'King Richard I and the walls of Ascalon', *Palestine Exploration Quarterly*, vol. 116 (1984), pp. 133-47.

92   Baha al-Din, p. 200.

93   *La Continuation de Guillaume de Tyr*, p. 141. Ricardo certamente lutou para se eximir de culpa e suspeita, com sua cultura sendo amplamente registrada nas cortes europeias. Por fim, seus apoiadores pensaram em uma solução que exonerava o Coração de Leão – escrevendo uma carta em 1194, supostamente do próprio Velho Sinan (mas quase com certeza uma falsificação), afirmando que os Assassinos tinham agido devido a uma antiga rusga com o marquês. Gillingham, *Richard I*, pp. 199-201.

94   *Itinerarium Peregrinorum*, p. 359; Ambroise, p. 153.

95   Baha al-Din, pp. 199-202; Lyons and Jackson, *Saladin*, pp. 346-8.

96   Ambroise, p. 153.

97   *Itinerarium Peregrinorum*, p. 390; Baha al-Din, pp. 208-9.

98   Baha al-Din, pp. 209-12.

99   Ambroise, pp. 163-5; *Itinerarium Peregrinorum*, pp. 379-82.

100 *Itinerarium Peregrinorum*, p. 393; Ambroise, p. 172. Muitos cristãos latinos contemporâneos ficaram decepcionados por esta segunda retirada. Testemunhas oculares, como Ambrósio, reconheceram claramente que foi o rei Ricardo que desistiu da tentativa de assediar Jerusalém. No Ocidente, contudo, outros cronistas apresentaram uma versão diferente dos fatos, isentando o Coração de Leão de culpa. Roger de Howden (*Chronica*, vol. 3, p. 183) chegou a registrar que Ricardo estava determinado a capturar a Cidade Santa, mas foi desestimulado pelos francos, que se mostravam relutantes em participar porque o rei da França havia lhes ordenado que voltassem à Europa. Ralph de Coggeshall (pp. 38-40), por sua vez, afirmou que Ricardo estava prestes a conduzir seu exército a Jerusalém quando Hugo da Borgonha, os templários e os franceses se recusaram a lutar, temendo que Filipe Augusto ficasse enfurecido com eles se ajudassem o rei angevino a capturar a Cidade Santa. Ralph acrescentou que mais tarde se descobriu que Hugo tinha feito uma vergonhosa aliança secreta com Saladino. Ironicamente, a noção de que os francos tinham boicotado as tentativas do Coração de Leão de conquistar Jerusalém acabou por pegar e, em meados do século XIII, já estava enraizada na memória popular. Gillingham, *Richard I*, pp. 208-10; Lyons and Jackson, *Saladin*, pp. 353-4. M. Markowski ('Richard the Lionheart: Bad king, bad crusader', *Journal of Medieval History*, vol. 23 (1997), pp. 351-65) criticou a conduta de Ricardo durante a Terceira Cruzada, rotulando-o de "fracasso como líder cruzado", mas por outros motivos – ou seja, de que "qualquer bom líder cruzado deveria ter feito o que o exército esperava", lançando um assalto a Jerusalém, fosse ele militarmente viável ou não.

101 *Itinerarium Peregrinorum*, p. 422; Baha al-Din, pp. 223, 225-6. Os mais influentes novos aliados do Coração de Leão eram: al-Mashtub – o emir curdo que havia servido Saladino desde 1169, comandou a guarnição do Acre em 1191 e recentemente (e talvez deliberadamente) tinha sido solto por Ricardo; e outros comandantes de Saladino, Badr al-Din e Dildirim al-Yaruqi. Ambos tinham servido como mediadores no verão de 1192.

102 Baha al-Din, p. 231; Imad al-Din, pp. 388-91. Sobre as consequências deste acordo, ver: J. H. Niermann, 'Levantine peace following the Third Crusade: a new dimension in Frankish-Muslim relations', *Muslim World*, vol. 65 (1975), pp. 107-18.

103 Baha al-Din, pp. 235, 239, 243.

104 Hillenbrand, *The Crusades: Islamic Perspectives*, p. 195; Ibn al-Athir, vol. 2, pp. 408-9. Ver também: Lyons and Jackson, *Saladin*, pp. 361-74; Möhring, *Saladin: The Sultan and his Times*, pp. 88-104.

105 Sobre o final da carreira de Ricardo I, ver: Gillingham, *Richard I*, pp. 222-348. Sobre as lendas em torno da vida de Ricardo, ver: B. B. Broughton, *The Legends of King Richard I* (*The Hague*, 1966).

Compartilhando propósitos e conectando pessoas
Visite nosso site e fique por dentro dos nossos lançamentos:
www.novoseculo.com.br

facebook/novoseculoeditora
@novoseculoeditora
@NovoSeculo
novo século editora

Edição: 1
Fonte: Arno Pro

gruponovoseculo.com.br